# HABACUQUE

Como transformar o desespero em cântico de vitória

Hernandes Dias Lopes

# HABACUQUE

## Como transformar o desespero em cântico de vitória

Revisão
*Josemar de Souza Pinto*
*João Guimarães*

Capa
*Souto Crescimento de Marca*

Adaptação gráfica
*Atis Design*

1ª edição: setembro de 2007
11ª reimpressão: janeiro de 2021

Editor
*Aldo Menezes*

Coordenador de produção
*Mauro W. Terrengui*

Impressão e acabamento
*Imprensa da Fé*


Editora Hagnos Ltda.
Av. Jacinto Júlio, 27
04815-160 - São Paulo, SP - Tel./Fax: (11)5668-5668
hagnos@hagnos.com.br - www.hagnos.com.br

**Dados Internacionais de Catalogação na Publicação (CIP)**
**(Câmara Brasileira do Livro, SP, Brasil)**

Lopes, Hernandes Dias -
Habacuque: como transformar o desespero em cântico de vitória /Hernandes Dias Lopes.
- São Paulo, SP: Hagnos 2007. (Comentários Expositivos Hagnos)

ISBN 978-85-7742-014-8

1. Bíblia A.T. Habacuque - Crítica e interpretação 2. Desespero 3. Teodicéia
I. Título II. Título: como transformar o desespero em cântico de vitória

07-5968 CDD-224.9506

Índices para catálogo sistemático:
1. Habacuque: Livros proféticos: Bíblia: Interpretação e crítica 224.9506

Editora associada à:

## Dedicatória

Dedico este livro ao presbítero Frederico Scherrer e à sua digníssima esposa, Elisabeth. Este casal tem andado com Deus, resplandecido a beleza de Jesus e demonstrado o fruto do Espírito. Tem sido bálsamo de Deus em nossa vida. É incentivador do nosso ministério e instrumento do Eterno para nos encorajar, nos ajudar e nos fortalecer na fé.

## Sumário

# Prefácio

O LIVRO DO PROFETA Habacuque é breve, mas perturbadoramente atual. Ele trata de política internacional, opressão econômica, violação dos direitos humanos, violência brutal na guerra e decadência moral e religiosa. Ele nos fala também sobre a soberania de Deus e o avivamento espiritual. Podemos observar e comparar as grandes tensões políticas, sociais, econômicas, morais e espirituais da atualidade ao examinar a mensagem deste livro.

Prefaciar o livro de Habacuque é para mim uma alegria. Eu ouvi meu marido pregando todas as mensagens que estão neste livro e fui edificada pelo que ouvi e pelo que li. Portanto, o que me motiva a escrever este prefácio são quatro coisas básicas:

Em primeiro lugar, Habacuque faz um diagnóstico dos nossos dias. Ele tira uma radiografia do tempo em que vivemos, e esmiúça as entranhas da nossa geração. Ele vê o mundo com os olhos de Deus e interpreta a vida pela ótica do Criador. Habacuque começa sua profecia com choro, e a termina cantando. O que produziu a mudança em seu coração? A certeza da soberania de Deus na história e na vida do seu povo.

Em segundo lugar, a coragem do profeta. Habacuque tem coragem de abrir o coração para Deus e de fazer perguntas que chegam a nos constranger. Ele questiona a situação moral e espiritual do seu povo e depois os métodos de Deus. Mas, somente quando ele se colocou na torre de vigia e entendeu que os ímpios serão julgados, mas os justos vivem pela fé, seu coração se aquietou e começou a cantar quando percebeu que Deus é o soberano absoluto do universo.

Em terceiro lugar, a esperança de um tempo novo depois do vale escuro. Habacuque termina a sua profecia com louvor e pedindo avivamento a Deus. Habacuque nos ensina que as rédeas da História estão nas mãos de Deus. Ele nos adverte que o mesmo Deus que está assentando no alto e sublime trono governa a vida do seu povo.

Em quarto lugar, sensibilizo-me com o compromisso do meu marido, Hernandes Dias Lopes, com a exposição bíblica. Hernandes tem paixão pela pregação, ele tem dedicado sua vida em expor a mensagem das Escrituras. Para isso Deus o chamou e o tem capacitado para pregar a Bíblia, livro por livro, deixando, assim, um abençoado legado para a nossa e as futuras gerações. Minha oração é que este livro bem como os demais dessa série de comentários expositivos da Editora Hagnos possam inflamar seu coração, edificar a sua alma e encher sua vida de esperança.

Udemilta Pimentel Lopes

Capítulo 1

# O homem, seu tempo e sua mensagem

(Hc 1.1)

O LIVRO DE HABACUQUE é o oitavo dos profetas menores. Embora ele esteja distante de nós mais de 2.500 anos, sua mensagem é atual, e sua pertinência, insofismável. Os tempos mudaram, mas o homem é o mesmo. Ele ainda é prisioneiro das mesmas ambições, dos mesmos descalabros morais, da mesma loucura.

Habacuque profetiza num tempo em que sua nação, o reino de Judá, estava à beira de um colapso. Porque retardou o seu arrependimento e não aprendeu com os erros de seus irmãos do Reino do Norte, que foram levados cativos pela Assíria em 722 a.C., entrariam, também, inevitavelmente no corredor escuro do juízo. As tempestades já se formavam sobre a cidade orgulhosa de Jerusalém. O tempo da oportunidade havia passado. Porque não escutaram a trombeta do arrependimento, sofreriam inevitavelmente o chicote da disciplina.

O princípio de Deus é: "Arrepender e viver", ou: "Não se arrepender e sofrer". O cálice da ira de Deus pode demorar a encher-se, mas, quando transborda, o juízo é iminente e inevitável. É impossível escapar das mãos de Deus. O homem pode burlar as leis e corromper os tribunais da terra, mas jamais enganar Aquele que se assenta no alto e sublime trono. O homem pode esconder seus crimes e sair ileso dos julgamentos humanos, porém jamais o culpado será inocentado diante dAquele que sonda os corações (Êx 34.7).

Os temas levantados por Habacuque são manchetes dos grandes jornais ainda hoje. Habacuque está nas ruas. Sua voz altissonante ainda se faz ouvir. Seus dilemas são as nossas mais profundas inquietações. Suas perguntas penetrantes são aquelas que ainda ecoam do nosso coração. Por isso, estudar Habacuque é diagnosticar o nosso tempo, é abrir as entranhas da nossa própria alma, é buscar uma resposta para as nossas próprias inquietações.

## O homem Habacuque

Nada sabemos acerca da família, da procedência e da posição social de Habacuque. Henrietta Mears diz que pouco sabemos desse profeta da fé, exceto que formulava perguntas e obtinha respostas.[1] Seu nome só é citado duas vezes e apenas no seu próprio livro (1.1; 3.1), embora sua mensagem tenha tido grande repercussão no Novo Testamento.

Gleason Archer diz que o nome *Habacuque* é raro, e seu significado, incerto.[2] O nome *Habacuque,* segundo os estudiosos, significa "abraçar". Jerônimo, o tradutor da Vulgata, entendeu que fosse "abraço", mas de luta. Seria assim "porque ele lutou com Deus".[3] Habacuque tanto se agarrou a Deus buscando resposta para suas íntimas e profundas indagações quanto abraçou o povo, levando-lhe a consoladora verdade de que o inimigo opressor seria exemplarmente julgado por Deus. Enquanto o povo da aliança triunfaria sobre a crise e viveria pela fé, os soberbos caldeus seriam eliminados sem jamais serem restaurados.

Nessa mesma linha de pensamento, Keil e Delitzsch dizem que Lutero entendeu que o nome *Habacuque* significa "um abraçador", ou aquele que abraça outro ou toma-o em seus braços. Assim, Habacuque abraça o povo e toma-o em seus braços, isto é, conforta-o e segura-o como se abraça uma criança que chora, acalmando-o com a garantia de que, se Deus quiser, tempos melhores virão em breve.[4]

## O tempo de Habacuque

Habacuque profetizou no final do período do reino de Judá. O Reino do Norte, por não ouvir os profetas de Deus, sucumbiria ao poderio militar da Assíria havia mais de cem anos, pois em 722 a.C. a orgulhosa cidade de Samaria fora entrincheirada durante três anos e, por fim, caiu impotente diante da supremacia militar dessa poderosa potência estrangeira. O Reino do Norte durou apenas 209 anos. Durante todo esse tempo, endureceu sua cerviz e andou longe dos caminhos de Deus. O cativeiro sem volta foi sua herança. A ferida sem cura foi seu legado.

O Reino do Sul alternou entre caminhadas na direção de Deus e escapadas perigosas para distanciar-se do Eterno. Quando reis piedosos ascendiam ao poder, havia conserto, e o povo dava ouvidos aos profetas e se arrependia de seus pecados, mas, quando reis ímpios e idólatras governavam, o povo era oprimido e ainda se desviava da presença de Deus.

As lições da queda do Reino do Norte não foram suficientes para abrir os olhos de Judá, nem as reformas religiosas realizadas pelo rei Josias no ano 621 a.C. tiveram profundidade suficiente para evitar a tragédia do cativeiro. Logo após a morte de Josias, Jeoaquim resistiu fortemente à pregação do profeta Jeremias, queimou os rolos do Livro e lançou o profeta na prisão. Nesse mesmo tempo, o mapa da política internacional estava passando por grandes mudanças. A poderosa Assíria tinha caído nas mãos dos babilônios em 612 a.C. O Egito, outra superpotência da época, marchou com seus carros blindados para o norte da Síria, em Carquemis, atravessando o território de Judá para enfrentar o exército caldeu. Nessa encarniçada peleja, Faraó Neco sucumbe também ao poderio militar da Babilônia em 605 a.C. Nesse mesmo ano, Nabucodonosor, o opulento rei da Babilônia, que governou esse majestoso império e construiu a gloriosa cidade com seus muros inexpugnáveis e seus jardins suspensos, cercou a cidade de Jerusalém. Estava lavrada a sorte desse reino que desprezava a Palavra de Deus, oprimia os fracos e aviltava a justiça.

É nesse tempo de ascensão galopante da Babilônia, da queda repentina da Assíria e do Egito, do encurralamento de Jerusalém, que Habacuque aparece. George Robinson diz que a destruição e a violência eram perpetradas pelos caldeus nas nações em geral (1.5,10,13; 2.5,6). Judá não havia ainda sido invadida, mas o Líbano já tinha começado a sofrer (2.17), e a aproximação do inimigo estava cada vez mais próxima (1.4). Todas essas considerações assinalam a data da profecia de Habacuque para depois da batalha de Carquemis, ou seja, por volta do ano 603 a.C.[5]

Habacuque foi contemporâneo de Jeremias. Ele sofreu as mesmas pressões, as mesmas angústias e viu os mesmos perigos. Bill Arnold e Bryan Beyer seguem essa mesma linha de pensamento, quando escrevem:

> Habacuque viveu durante os últimos dias de Judá. A maior parte dos estudiosos situa o seu ministério antes de 605 a.C., quando a Babilônia, sob o governo de Nabucodonosor, tornou-se uma potência mundial (1.5). As palavras de Habacuque contra a Babilônia (2.6-20) deixam implícito que ela já havia se transformado em uma nação forte.[6]

Stanley Ellisen, nessa mesma linha de pensamento, diz que podemos situar a profecia de Habacuque por volta de 607 a.C., durante o iníquo reinado de Jeoaquim, antes de Judá ser subjugado por Nabucodonosor em 606, e isso porque a referência aos caldeus, que viriam numa inacreditável ferocidade (1.6), sugere uma data anterior a 605 e posterior às suas conquistas iniciais. Outrossim, a ausência de qualquer referência a Nínive sugere uma data posterior à destruição dessa cidade em 612 a.C. Finalmente, a grande preocupação do profeta quanto à violência de Judá sugere uma época posterior à morte de Josias, no iníquo reinado de Jeoaquim.[7]

O estudioso Samuel Schultz, conclui esse ponto, como segue:

> Com toda a probabilidade, Habacuque foi testemunha do declínio e da queda do império assírio, durante sua vida. Em sincronia com o amortecimento da influência assíria sobre Judá, ocorreu o

reavivamento sob a liderança de Josias. De maneira simultânea a essas ocorrências, houve o soerguimento da Média e da Babilônia ao poder, na extremidade oriental do Crescente Fértil. O quadro de violência, contendas e apostasia, tão generalizadas em Judá na época de Habacuque, parece caber dentro do período que se seguiu imediatamente após a morte de Josias, em 609 a.C. Os caldeus ainda não se tinham firmado de modo suficiente para constituir uma ameaça contra Judá, porquanto o controle egípcio se ampliou até as margens do Eufrates, o que continuou até a batalha de Carquemis em 605 a.C. Em resultado disso, os anos entre 609 e 605 a.C. provêem um apropriado pano de fundo para a mensagem de Habacuque.[8]

## O estilo do profeta Habacuque

Habacuque era um homem que se entregava às lucubrações. Kyle Yates o denomina de "um livre-pensador entre os profetas".[9] Habacuque era um homem que tinha coragem de abrir o peito e expor suas dúvidas. Concordo com Isaltino Gomes Coelho Filho quando afirma que Deus não nos proíbe de pensar nem mesmo nos exige um "suicídio intelectual".[10] A fé não anula a razão. Ao contrário, a fé ilumina, esclarece e reorienta a razão. Pensar não é pecado. Habacuque é nosso contemporâneo. Lendo-o, podemos ouvir as dúvidas do jovem estudante universitário, as questões do intelectual, daquele que pensa em nível de questionamentos.[11] Habacuque nos ensina a fazer a dolorosa transição da dúvida para a fé.

Habacuque usou vários métodos para expor sua mensagem. Crabtree diz que Habacuque usou com freqüência o símile (1.8,11,14), a metáfora (1.10,12), a personificação (2.11) e perguntas retóricas (1.2,17; 2.13).[12]

Habacuque é um profeta *sui generis* em seu estilo. Ele difere de todos os outros na sua abordagem. Todos os outros profetas ergueram a voz, em nome de Deus, para confrontar o povo e chamá-lo ao arrependimento. O profeta Amós convocou as nações estrangeiras e, sobretudo, o povo de Deus a arrepender-se de suas atrocidades. O profeta Isaías tocou sua trombeta contra as nações estrangeiras e anunciou-lhes o juízo de Deus. O profeta Jonas foi à capital da Assíria, à impiedosa cidade de Nínive, e pregou em suas ruas sobre a subversão que desabaria sobre ela. O profeta Naum profetizou a queda da Assíria, e o profeta Obadias, a queda de Edom. Contudo, Habacuque não confrontou o povo, mas a Deus. Em vez de falar à nação da parte de Deus, ele falou a Deus da parte da nação. Em vez de chamar a rebelde Jerusalém ao arrependimento, ele cobrou de Deus Sua inação diante das calamidades que saltavam aos seus olhos. J. Sidlow Baxter diz que, ao contrário dos outros profetas, Habacuque não se dirige nem a seus patrícios nem a um povo estrangeiro: seu discurso é feito apenas para Deus.[13] Charles Feinberg, somando com esse pensamento, diz que o livro de Habacuque difere dos discursos regulares dos profetas que pregaram a Israel. Seu livro é o registro da experiência de sua própria alma com Deus. Os profetas falavam em nome de Deus aos homens, ao passo que ele discute com Deus, em tom de censura, acerca dos procedimentos divinos em relação aos homens.[14] As queixas de Habacuque não são dirigidas contra os pecadores, mas contra o Santo.[15]

David Baker, ainda nessa mesma rota, afirma que uma das funções do profeta era servir de intermediário entre o Deus de Israel e o Seu povo. Era ele quem devia indicar quando as pessoas se afastavam da aliança que voluntariamente haviam firmado e instar com elas para que a retomassem. Habacuque assume a tarefa de ir na outra direção, chamando Deus para prestar contas das ações que não pareciam corresponder às prescrições da aliança. A situação de um profeta já era suficientemente precária quando confrontava seu povo; imagine-se, então, quão raro seria o indivíduo que se arriscasse a confrontar o seu Deus. Habacuque era um desses.[16]

O maior problema de Habacuque não era fazer um diagnóstico da doença de sua nação, mas um estudo do comportamento de Deus. O que mais lhe causou espanto não foi a derrocada moral da sua gente, mas a demora e o silêncio de Deus diante da calamidade do Seu povo. Habacuque teve dificuldade de conjugar o caráter santo de Deus com a sua aparente inação diante do prevalecimento do mal.

Gerard Van Groningen chama Habacuque de o profeta-filósofo porque sua profecia expressa a preocupação a respeito do problema da maldade amplamente espalhada em Jerusalém e Judá, bem como com a aparente falta de preocupação de Iavé. Quando, porém, ele é informado do plano de Iavé de usar os babilônios, mais ímpios ainda, como vara de julgamento para Judá, seus problemas se intensificam. Ora, como pode o Deus santo e reto usar um instrumento vil para punir o próprio povo do Seu pacto?[17]

Habacuque entrou em crise quando suas orações deixaram de ser atendidas no tempo que gostaria de vê-las respondidas, e sua crise ainda se agravou por demais quando Deus respondeu a elas de maneira inimaginável. Os caminhos de Deus não são os nossos caminhos. Deus não pode ser domesticado. Ele é soberano e não segue a agenda que tentamos traçar para Ele. Ele faz todas as coisas conforme o conselho da Sua vontade. Deus diz a Habacuque que não estava inativo, mas trabalhando para responder à sua oração, trazendo os caldeus para serem a vara da disciplina contra o Seu povo.

### A situação política nos dias de Habacuque

Como já dissemos, o cenário político no tempo de Habacuque era muito nervoso. O mapa político das grandes potências mundiais estava mudando rapidamente. Naquele tempo, havia três grandes potências mundiais: a Assíria, a Babilônia e o Egito. O soberbo e aparentemente invencível Império Assírio, que tinha levado o Reino do Norte para o cativeiro em 722 a.C. e esmagado com crueldade desumana todas as nações do Crescente Fértil, acabara de ser derrotado pelos babilônios em 612 a.C. A Babilônia, imediatamente, assumiu a posição inconteste de superpotência no berço da civilização. A outra superpotência, o Egito, sentiu-se ameaçada, e, em 605 a.C., enviou um poderoso exército ao Norte, para refrear o programa expansionista caldeu.[18] Faraó Neco, rei do Egito, ameaçado por essa façanha dos caldeus, põe seus carros de guerra em marcha e atravessa o deserto do Sinai, cruza o território de Judá e avança para o norte da Síria para enfrentar em Carquemis o poderoso exército caldeu, em 605 a.C. Nessa peleja encarniçada, os egípcios foram derrotados, e recuaram para a sua terra.

A Babilônia torna-se a única superpotência mundial. Seus exércitos marcham pelas planuras da terra fazendo campanhas expansionistas. Ninguém pôde resistir ao rei Nabucodonosor e seus exércitos. Por ser Judá um país satélite do recém dominado Egito, Nabucodonosor entrincheirou Jerusalém para dominá-la.

Como a invasão dos caldeus a Jerusalém deu-se em três turnos: 605, 597 e 587, é muito provável que a descrição de Habacuque refira-se à aproximação do primeiro cerco, quando foram levados os jovens estudantes para a Babilônia, dentre eles Daniel e seus três amigos. Podemos chegar a essa conclusão por causa da surpresa do profeta ao saber que Deus mesmo é quem estava trazendo os caldeus para serem os instrumentos da disciplina ao Seu povo.

J. Sidlow Baxter diz que o foco do problema e da profecia de Habacuque é a Babilônia. Dentre os inimigos que afligiram o povo da aliança muito tempo atrás, três se destacam – os edomitas, os assírios e os caldeus. Foi dado a três dos profetas hebreus em especial pronunciar a condenação dessas três potências. A profecia de Obadias selou o destino de Edom. A de Naum fez dobrar os sinos sobre a Assíria. A de Habacuque cavou a sepultura da Babilônia.[19]

## A situação religiosa nos dias de Habacuque

A reforma espiritual ocorrida no período do piedoso rei Josias não teve a profundidade necessária. Stanley Ellisen diz que a reforma de Josias terminou abruptamente com sua morte em 509, e as sementes de corrupção plantadas por Manassés frutificaram com rapidez sob o reinado de Jeoaquim.[20] Tão logo o rei Josias morreu, o povo voltou a se rebelar contra Deus e a tapar os ouvidos aos seus profetas. Jeremias fez ouvir sua voz pelas ruas de Jerusalém, chamando o povo a se humilhar debaixo da poderosa mão de Deus. Ele confrontou o impiedoso rei Jeoacaz, mas este lançou o profeta na prisão e queimou os rolos do Livro. O cálice da ira de Deus foi se enchendo, e chegou o dia em que ele transbordou. Nesse dia, o rei de Jerusalém viu seus filhos serem mortos; ele teve seus olhos vazados, e a cidade de Jerusalém foi entregue às mãos dos caldeus.

O suntuoso templo construído por Salomão virou um montão de ruínas. A cidade de Jerusalém depois de um cerco doloroso sucumbiu impotente ao ataque estrangeiro. Os que morreram à espada foram mais felizes do que aqueles que morreram de fome dentro dos muros da cidade de Davi. Os vasos sagrados do templo foram entregues nas mãos de Nabucodonosor e levados para o templo de Dagom na Babilônia.

O pecado é o opróbrio das nações. Ele não fica sem julgamento. Quem não escuta o chamado da graça, ouvirá a trombeta do juízo. Quem calca aos pés o convite do arrependimento, sofrerá inevitavelmente a chibata do juízo.

## A divisão do livro de Habacuque

O livro de Habacuque pode ser dividido em três partes distintas. O capítulo primeiro fala de uma sentença, um peso, uma mensagem difícil de ser entendida e mais difícil ainda de ser engolida. Nesse capítulo, o profeta escancara as tensões da sua alma e expressa sem rodeios os dilemas que assaltam seu coração. Dois grandes conflitos são vividos por Habacuque. O primeiro é o prevalecimento do mal e a aparente inação e demora de Deus. Suas orações não são respondidas com a urgência que as endereçou ao céu. O segundo conflito é a resposta surpreendente da sua oração. A resposta de Deus deixou o profeta mais alarmado e esmagado que o seu silêncio. Deus disse a Habacuque que os caldeus sanguinários, truculentos e expansionistas estavam vindo contra Judá não ao arrepio da sua vontade, mas em obediência ao seu chamado.

O segundo capítulo fala de uma visão. O profeta deveria escrever a visão num *outdoor* para todos lerem. A visão que Deus revela anuncia que o soberbo vai perecer, mas o justo vai sobreviver à crise, pois ele viverá pela fé. Os caldeus, por pensarem que seu poder emanava de suas próprias mãos e de seus ídolos mudos, cairiam, sem jamais serem levantados, mas o povo de Deus, que vive pela fé, seria restaurado.

O terceiro capítulo fala de um cântico. O profeta, que começa o livro chorando, termina-o cantando. Seu cântico não é em virtude da mudança circunstancial. As circunstâncias continuavam pardacentas, mas a verdade de Deus enchera sua alma de esperança. Deus descortinara para o Seu profeta Seu propósito, mostrara a ele Sua soberania, e agora, em vez de questionar a Deus, Habacuque clama por avivamento e se alegra em Deus, a despeito da situação.

Concluindo, Charles Feinberg diz que o primeiro capítulo discorre sobre a invasão dos caldeus, e o segundo capítulo prediz o juízo de Deus contra esse povo. O terceiro capítulo retrata a vinda do Senhor e a destruição das forças mundiais hostis.[21]

## Alguns destaques do profeta Habacuque

Habacuque traz a lume os grandes temas que ainda hoje afligem a humanidade. Ele levanta a ponta do véu e revela a nós que os tempos são outros, mas o coração do homem continua tão corrompido quanto foi no passado. Vejamos alguns destaques desse profeta intercessor:

Em primeiro lugar, *o sofrimento do justo e a prosperidade do ímpio* (1.13). Habacuque estava alarmado com a corrupção moral e a apostasia religiosa que haviam tomado conta do seu povo. Parecia que a situação política, econômica, moral e espiritual estava fora de controle. O mundo estava de ponta-cabeça. Os justos estavam sendo tripudiados e pisados, enquanto os ímpios floresciam. Habacuque pergunta sobre as razões de Deus permitir tantos crimes terríveis. Ele ergue sua queixa contra Deus pelo fato de suas orações não terem sido respondidas. Esse drama foi vivido por Jó, por Asafe por outros profetas. É verdade que em Jó a temática é o sofrimento em nível individual; entretanto, com Habacuque a questão é o sofrimento comunitário.[22] Russell Norman Champlin corretamente afirma que Habacuque, como Jó, não tentou resolver o problema do mal apelando para o pós-vida.[23] David Baker, por sua vez, diz que, diferentemente de Jó, Habacuque recebe resposta direta a seus questionamentos (1.5-11): a punição virá, mas mediante os babilônios. Isso gerou problemas teológicos e morais ainda maiores para o profeta, visto que a "cura" de uma invasão babilônica é pior do que a "enfermidade" do pecado de Judá. Deus responde dizendo que o instrumento que escolheu para a disciplina de Judá é moralmente responsável por suas ações e que não escapará sem a devida punição (2.2-20).[24]

O estudioso John Bright diz que o drama de Habacuque tem a ver com a teologia nacional de Israel que entrou em crise. Os habitantes de Judá pensavam que em qualquer situação Deus estaria do lado deles e os defenderia contra os inimigos. Eles se consideravam invencíveis. Essa teologia centralizava-se na afirmação da escolha de Sião por Iavé como a Sua sede e em Suas promessas à dinastia de Davi, de um governo eterno e de uma vitória permanente sobre seus inimigos. Quanto mais tenebrosa era a hora, tanto mais desesperadamente a nação se apegava às eternas promessas feitas a Davi, achando segurança no templo onde ficava o trono de Iavé (Jr 7.4,14,21). Enlevada por esse otimismo teológico, a nação marchou em direção à tragédia (Hc 1.2-5).[25]

O sofrimento do justo e a prosperidade do ímpio continuam sendo o drama do homem contemporâneo: A. R. Crabtree, nessa mesma linha de pensamento, escreve:

> Alguns salmistas (13.1; 73.1-28; 74.10; 79.5; 89.16; 94.3) e o livro de Jó tratam diretamente desse problema do sofrimento dos justos. A verdade é que esse problema do sofrimento não merecido dos homens justos, assim como a prosperidade material e a felicidade aparente dos injustos, constituem um problema religioso e teológico que perturba quase todos os homens profundamente religiosos.[26]

Aqueles que se empoleiram no poder e vivem na contramão da justiça prosperam, enquanto aqueles que lutam e trabalham com honra e honestidade são afligidos. Henrietta Mears, citando Campbell Morgan, disse que, quando Habacuque olhava para as circunstâncias, ficava perplexo (1.3), mas, quando esperava em Deus e o ouvia, ele cantava (3.18,19).[27]

Em segundo lugar, *o fortalecimento econômico e bélico das superpotências mundiais* (1.6-11). O mundo vive a alternância de poder. Sempre houve um tempo em que os reinos mais fortes subjugaram as nações mais fracas e construíram suas riquezas com o espólio dos dominados. Ainda hoje, quando se luta pelo estabelecimento da democracia no mundo, as nações mais fortes engolem as mais fracas e se abastecem de suas parcas riquezas, para se tornarem ainda mais opulentas. Num tempo em que se fala tanto na necessidade da paz, gasta-se ainda mais com a guerra. Num mundo em que se fala tanto em respeito aos tratados internacionais, gasta-se mais dinheiro em armas de destruição do que para socorrer os famintos.

Em terceiro lugar, *as guerras truculentas* (1.6-11). A conquista do poder no tempo de Habacuque era mediante o uso da força. Não é diferente hoje. Desde 1789, não houve um ano sequer em que pelo menos duas nações não estivessem em guerra em busca de poder.[28] Os fortes atacam os fracos. Os ricos engolem os pobres. Os poderosos esmagam os que não lhes podem fazer qualquer resistência. Os métodos de subjugação mudaram, mas a truculência mortal é a mesma. Estamos assistindo a uma crescente militarização do mundo. Fritjof Capra alerta para o fato de que, enquanto as nações mais ricas estão investindo cada vez mais em armas, mais de 15 milhões de pessoas morrem anualmente de fome e outras 500 milhões estão gravemente subnutridas. Cerca de 40% das pessoas no mundo não têm acesso a serviços profissionais de saúde, 35% dos habitantes do planeta carecem de água potável, e, enquanto isso, metade dos cientistas dos países ricos dedica-se à tecnologia da fabricação de armas.[29]

Em quarto lugar, *a decadência dos grandes impérios* (2.14). Tudo que sobe, cai; tudo que um dia fez uma viagem rumo ao topo da pirâmide, despenca das alturas, para espatifar-se no chão. Os soberbos impérios que governaram o mundo com truculência caíram e se cobriram de opróbrio. Onde está o poder da Assíria? Onde está a glória da Babilônia? Onde está a força do Império Medo-Persa? Onde está o poder bélico do Império Grego? Onde está o megalômano Império Romano? A Bíblia diz que Deus é quem levanta reis e destrona reis. Os reinos deste mundo passarão. Eles haverão de virar pó e se tornar apenas lembranças remotas nas páginas do tempo. Isaltino Gomes Coelho Filho é enfático quando afirma que a história da humanidade está repleta dos destroços de grandes potências que se julgavam indestrutíveis. O orgulho humano, aliado à engenhosidade para produzir artefatos que matam, nada pode fazer quando chega o momento estabelecido por Deus. Afinal, "[...] ele remove os reis e estabelece os reis" (Dn 2.21).[30] Walter Kaiser Jr. corretamente afirma que, a despeito das aspirações da Babilônia no sentido de edificar um império, seria outra potência que possuiria a terra: o glorioso Reino de Deus: "Pois a terra se encherá do conhecimento da glória do SENHOR, como as águas cobrem o mar" (Hc 2.14).[31]

Em quinto lugar, *vitória final e retumbante do Reino de Deus* (2.14). Os reinos deste mundo passarão, mas o Reino de Cristo será como uma pedra que encherá toda a terra. Então, a terra se encherá do conhecimento do Senhor, como as águas cobrem o mar (2.14). As grandes potências econômicas da atualidade sucumbirão. O poderio bélico e militar não poderá evitar seu colapso. Os poderosos serão arrancados de seus tronos. Somente o Reino de Cristo triunfará, pois Seu Reino é eterno.

## A teologia do profeta Habacuque

Como já dissemos, o profeta Habacuque fala mais com Deus do que com os homens. Ele é mais um profeta intercessor do que um profeta pregador. Ele tem mais colóquio com Deus do que confronto com os homens. Nem por isso, ele deixa de trazer à baila uma consistente e poderosa teologia. Vejamos alguns aspectos da sua teologia.

Em primeiro lugar, *a punibilidade inevitável do pecado* (1.2-4). O maior engano do homem é pensar que o pecado compensa ou que ficará impune.[32] Por que os homens corrompem ou se deixam corromper para granjear riquezas? Por que vivem sem pudor, dando asas às suas paixões infames, buscando beber avidamente todas as taças dos prazeres? Por que os poderosos esmagam os fracos, e os juízes negam a justiça aos que andam retamente? Certamente, eles não crêem na justiça divina ou crêem que poderão escapar dela impunemente. Habacuque, porém, nos mostra que o pecado é uma fraude. Ninguém escapará às suas conseqüências inevitáveis. Quem semeia vento, colhe tempestade. Quem semeia na carne, dela colhe corrupção. Um dia, todos terão de enfrentar o julgamento de Deus e prestar conta da sua vida. Isaltino Gomes Coelho Filho é enfático quando afirma que a violência será punida. Apesar do seu desconcertante silêncio, Deus inverte a situação no momento apropriado e estabelece Sua vontade. Existe um ponto final para a maldade humana. O poderio bélico que algumas nações possuem e que, julgam elas, as torna invencíveis, nada será quando Deus determinar o seu fim.[33]

Em segundo lugar, *os mistérios inextrincáveis da providência divina* (1.5,6). Deus está além da nossa capacidade de entendimento. Seu ser é insondável, e seus atos são, muitas vezes, surpreendentes e inexplicáveis. Habacuque ficou alarmado e esmagado quando soube que Deus estava usando os caldeus para disciplinar o Seu povo. Esse método de Deus fez retinir seus ouvidos e o levou a repensar sua teologia. Martyn Lloyd-Jones diz que Habacuque escreveu o livro para relatar sua própria experiência. Estava aí um homem perturbado pelos acontecimentos, ansioso por reconciliar o que via com o que acreditava.[34] Deus não se deixa domesticar. Ele sempre nos surpreende com suas providências que vão além do campo da nossa limitada compreensão. O livro de Habacuque joga uma pá de cal na teologia distorcida dos judeus, que acreditavam que Deus estaria com eles para defendê-los contra seus inimigos em quaisquer circunstâncias, mesmo estando eles nas práticas mais execráveis de seus pecados. A teologia do livro de Habacuque reforça o que o apóstolo Pedro ensinou: o juízo deve começar pela casa de Deus (1Pe 4.17).

Em terceiro lugar, *o sofrimento do justo é temporário, mas o castigo do ímpio é final* (2.4). Aparentemente, o ímpio está levando vantagem sobre o justo. Agora, o ímpio escancara sua boca e ri da miséria do justo. Agora, ele oprime o justo, e ninguém o detém. Contudo, seu castigo se apressa, e, então, o ímpio não terá para onde escapar (Sl 73.18-20). Ele buscará a própria morte, mas esta fugirá dele (Ap 6.16,17; 9.6). Ele tentará fugir da presença de Deus, mas perceberá que não há um cantinho sequer do vasto Universo onde possa se esconder do Deus todo-poderoso (Sl 139.7-12). O justo, porém, que foi pisado, humilhado e injustiçado, se erguerá das cinzas e triunfará pela fé (2.4). Mesmo que as circunstâncias conspirem contra ele, sua alegria e salvação estão em Deus, seu alto refúgio (3.17-19).

Em quarto lugar, *a santidade de Deus exige o castigo do mal começando com o seu próprio povo* (1.12; 2.20; 3.3). Stanley Ellisen diz que o maior interesse de Habacuque é pela santidade divina com respeito tanto à perversidade de Israel quanto à soberba da Babilônia. Ele se afligiu por Deus permitir que o pecado continuasse em Judá sem punição e depois se preocupou por Deus usar a Babilônia como instrumento punitivo, nação ainda mais perversa.[35] Habacuque, também, escreve afirmando que, antes de Deus punir a Babilônia pela sua megalomania e truculência arrogante, disciplinará o Seu povo pela sua rebeldia. O juízo começa pela casa de Deus (1Pe 4.17). O povo de Deus não tem imunidade especial para pecar. O pecado do povo de Deus é mais grave, mais hipócrita e mais danoso do que o pecado do ímpio. Mais grave, porque peca contra maior luz; mais hipócrita, porque, enquanto denuncia o pecado na vida dos outros, comete-o secretamente; mais danoso, porque, quando o povo de Deus tropeça e cai, o escândalo é maior.

Em quinto lugar, *enquanto o soberbo é destruído pelo seu pecado, o justo viverá pela sua fé* (2.4). Habacuque tem sido denominado de "o livro que começou a Reforma".[36] Habacuque 2.4 é citado três vezes no Novo Testamento (Rm 1.17; Gl 3.11; Hb 10.38). As três citações do Novo Testamento têm uma progressão interessante, quanto à ênfase: Em Romanos 1.17, a ênfase está em "o justo"; em Gálatas 3.11, em "viverá"; e em Hebreus 10.38, em "pela fé". Todos os três pontos estão enfatizados em Habacuque. Poucos versículos da Bíblia têm participado com tão profundo efeito no desenvolvimento da teologia e da proclamação da fé.[37] A doutrina da justificação pela fé é a pedra de esquina da nossa salvação. Essa foi a base da teologia do apóstolo Paulo (Rm 1.17). Essa foi a bandeira da Reforma Protestante no século 16. Somos salvos não pelo que fazemos, mas pelo que Deus fez por nós. O alicerce da salvação não são nossas obras para Deus, mas a obra de Deus por nós. A única boa obra perfeita, totalmente agradável a Deus, que nos leva para o céu é aquela feita por Cristo na cruz do Calvário, ao derramar Seu sangue para nos resgatar e nos purificar de todo pecado.

Em sexto lugar, *a crise deve nos levar não ao desespero, mas a um clamor por avivamento* (3.2). O profeta Habacuque começa seu livro questionando o caráter de Deus, mas o conclui orando a Deus por uma intervenção na vida do Seu povo. A crise, em vez de nos levar a correr de Deus, deve nos induzir a correr para Deus. A crise é uma oportunidade para nos voltarmos para Deus (Jl 2.12-16). Deus ainda continua transformando vales em mananciais. Ele ainda continua voltando-se da Sua ira para a Sua misericórdia. O avivamento é uma obra de Deus, e não uma ação humana. Não agendamos avivamento; clamamos por ele. Não determinamos sua chegada; preparamo-nos para ela. Não administramos sua chegada; preparamos seu caminho.

Em sétimo lugar, *quando o mundo ao nosso redor entra em colapso, ainda assim, podemos nos alegrar em Deus* (3.17,18). O cristão é um otimista inveterado, pois a fonte da sua alegria não está nas circunstâncias, mas em Deus. O mundo pode ficar abalado. Os montes podem se derreter e se lançar nas profundezas do mar. A natureza pode se contorcer de dores, e terremotos fazerem tremer os alicerces da terra, mas, mesmo assim, o povo de Deus continua seguro. A seca pode fazer mirrar a semente debaixo da terra. O curral pode ser um deserto sem a presença das ovelhas. A vide pode estar vazia de frutos, e o mundo inteiro pode entrar em colapso. Contudo, o povo de Deus, ainda assim, terá um alicerce firme debaixo dos pés. O povo de Deus ainda poderá se alegrar em Deus, seu Salvador.

**NOTAS CAPÍTULO 1**

[1] MEARS, Henrietta C. *Estudo panorâmico da Bíblia.* Editora Vida. Flórida. 1982: p. 282.

[2] ARCHER JR., Gleason L. *Merece confiança o Antigo Testamento.* Edições Vida Nova. São Paulo, SP. 1974: p. 404.

[3] FAFASULI, Tito. *Nuevo comentário bíblico.* Casa Bautista de Publicaciones. 1985: p. 575.

[4] KEIL C. F. & DELITZSCH, F. *Commentary on the Old Testament.* Vol. X. William B. Eerdmans Publishing Company. Grand Rapids, Michigan. 1978: p. 49.

[5] ROBINSON, George L. *Los doce profetas menores.* Casa Bautista de Publicaciones. 1984: p. 101.

[6] ARNOLD , Bill T. & BEYER, Bryan E. *Descobrindo o Antigo Testamento.* Editora Cultura Cristã. São Paulo, SP. 2001: p. 458.

[7] ELLISEN, Stanley A. *Conheça melhor O Antigo Testamento.* Editora Vida. Flórida. 1991: p. 320.

[8] SCHULTZ, Samuel J. *A história de Israel no Antigo Testamento.* Edições Vida Nova. São Paulo, SP. 1977: p. 388.

[9] YATES, Kyle. *Predicando de los livros proféticos.* Casa Bautista de Publicaciones. 1954: p. 208.

[10] COELHO FILHO, Isaltino Gomes. *Habacuque: nosso contemporâneo.* 1990: p. 18.

[11] COELHO FILHO, Isaltino Gomes. *Habacuque: nosso contemporâneo.* 1990: p. 18.

[12] CRABTREE, A. R. *Profetas menores.* 1971: p. 233.

[13] BAXTER, J. Sidlow. *Examinai as Escrituras: Ezequiel a Malaquias.* Edições Vida Nova. São Paulo, SP. 1995: p. 237.

[14] FEINBERG, Charles L. *Os profetas menores.* Editora Vida. Flórida. 1988: p. 207.

[15] COELHO FILHO, Isaltino Gomes. *Habacuque: nosso contemporâneo.* 1990: p. 18.

[16] BAKER, David W. et all, *Habacuque.* Edições Vida Nova. São Paulo, SP. 2006: p. 323.

[17] GRONINGEN, Gerard Van. *Revelação messiânica no Velho Testamento.* LPC. Campinas, SP. 1995: p. 616.

[18] Pape, Dionísio. *Justiça e esperança para hoje.* ABU. São Paulo, SP. 1983: p. 80.

[19] Baxter, J. Sidlow. *Examinai as Escrituras: Ezequiel e Malaquias.* 1995: p. 237.

[20] Ellisen, Stanley A. *Conheça melhor o Antigo Testamento.* 1991: p. 320.

[21] Feinberg, Charles L. *Os profetas menores.* 1988: p. 208.

[22] Coelho Filho, Isaltino Gomes. *Habacuque: nosso contemporâneo.* JUERP. Rio de Janeiro, RJ. 1990: p. 11.

[23] Champlin, Russell Norman. *O Antigo Testamento interpretado versículo por versículo.* Vol. 5. Editora Hagnos. São Paulo, SP. 2003: p. 3.613.

[24] Baker, David W. et all. *Habacuque.* 2006: p. 328.

[25] Bright, John. *História de Israel.* Edições Paulinas. São Paulo, SP. 1978: p. 448,449.

[26] Crabtree, A. R. *Profetas menores.* Casa Publicadora Batista. Rio de Janeiro, RJ. 1971: p. 229.

[27] Mears, Henrietta C. *Estudo panorâmico da Bíblia.* 1982: p. 282.

[28] Coelho Filho, Isaltino Gomes. *Habacuque: nosso contemporâneo.* 1990: p. 11.

[29] Capra, Fritjof. *O ponto de mutação.* Círculo do Livro. 1988: p. 19,20.

[30] Coelho Filho, Isaltino Gomes. *Habacuque: nosso contemporâneo.* 1990: p. 12,13.

[31] Kaiser Jr., Walter. *Teologia do Antigo Testamento.* Edições Vida Nova. São Paulo, SP. 1980: p. 235.

[32] Êxodo 34.7; Ezequiel 18.6.

[33] Coelho Filho, Isaltino Gomes. *Habacuque: nosso contemporâneo.* 1990: p. 12.

[34] Lloyd-Jones, D. Martyn. *Do temor à fé.* Editora Vida. Flórida. 1985: p. 8.

[35] Ellisen, Stanley A. *Conheça melhor o Antigo Testamento.* 1991: p. 321.

[36] Ellisen, Stanley A. *Conheça melhor o Antigo Testamento.* 1991: p. 322.

[37] Ellisen, Stanley A. *Conheça melhor o Antigo Testamento.* 1991: p. 322.

## Capítulo 2

# Um homem em crise com Deus e com os homens

(Hc 1.1-4)

HABACUQUE NÃO ESTÁ sozinho. Sua crise é a mesma que atormenta homens e mulheres em todo o mundo. Suas angústias pulsam e latejam em nosso peito ainda hoje. Seu grito de dor ainda ecoa nos ouvidos da História.

Habacuque não é um ilustre desconhecido, cujo nome ficou encoberto pela poeira do tempo nem um profeta que ergueu sua voz num tempo remoto sem qualquer conexão com os tempos modernos. A voz de Habacuque está nas ruas, nas salas das universidades, nos tribunais de justiça, nos salões dos palácios e no sacrário irrequieto da alma humana.

Levantamos três pontos:

Em primeiro lugar, *os desobedientes colherão um dia seus amargos frutos.* A cidade de Jerusalém estava cercada pelos inimigos porque não quis ser protegida por Deus. O povo rebelde de Judá sacudiu o jugo do Todo-poderoso e estava agora colocando o pescoço na coleira do inimigo. Por ter rejeitado a Palavra de Deus, Judá estava agora apavorado com a presença aterradora do mal. A desobediência tem um preço alto, e aqueles que seguem pelas suas veredas sinuosas terão de sofrer suas amargas conseqüências. Desde a morte do piedoso rei Josias, seu filho e sucessor, Jeoaquim, vinha conduzindo a nação cada vez mais para perto da calamidade (Jr 22.13-19). Enquanto o povo de Judá estava ocupado em cometer terríveis transgressões contra Deus e contra o próximo, Deus estava ocupado em trazer os caldeus, um povo amargo e poderoso, para disciplinar Seu povo rebelde.

Em segundo lugar, *os líderes insensatos são maldição para o povo, e não bênção.* A decadência espiritual e o colapso moral de Judá eram um reflexo da rebeldia dos reis injustos e dos profetas da conveniência. Porque os reis não quiseram ouvir a voz de Deus, contrataram falsos profetas para pregar-lhes mensagens agradáveis. Queriam entretenimento, e não arrependimento. Queriam mensagens palatáveis, e não sentenças da parte do Senhor.

A chegada do invasor não foi apenas um fenômeno político, mas uma ação da mão soberana de Deus. Não foram os caldeus que vieram contra Jerusalém; foi Deus quem os trouxe. A mesma linguagem usada para descrever os pecados de Judá (1.2,3) é usada também para identificar as transgressões dos caldeus (1.9,13). Assim como os judeus pecaram por violência e injustiça, eles foram punidos por injustiça e violência (Pv 1.31). O reinado de Jeoaquim foi marcado por injustiça, traição e derramamento de sangue (Jr 22.3,13-17). Portanto, os caldeus seriam enviados para lidar com ele e seus nobres da mesma maneira que eles estavam lidando com os outros (1.6,10,11,17).[38]

Em terceiro lugar, *a soberania de Deus na História nem sempre é plenamente compreendida, mesmo pelos homens mais santos.* A leitura que Habacuque estava fazendo da corrupção interna de Judá e o ataque externo da Babilônia a Judá o deixaram em profunda crise. A ação soberana de Deus não se encaixava dentro de sua teologia nem se alinhava com sua lógica. A crise de Habacuque não foi um drama solitário. Outros profetas amargaram essa mesma dor. Essa profunda tensão continua roubando o sono de milhões de pessoas ainda hoje.

## Os dramas existenciais de um profeta em crise (1.1-3)

Habacuque é um homem divinamente inspirado e comissionado, e seu livro é um fardo que ele recebeu da parte de Deus.[39] Diferente dos outros profetas que trouxeram a mensagem de Deus ao povo, Habacuque endereça sua palavra ao próprio Deus na forma de dois questionamentos aos quais Deus lhe responde.[40]

James Wolfendale diz que Habacuque nesta profecia é conhecido pelo seu nome, pela sua função, pela maneira que ele recebeu sua profecia e pelo conteúdo dela (1.1).[41]

Habacuque está alarmado, e sua perplexidade pode ser percebida de três formas:

Em primeiro lugar, *o drama de receber uma mensagem pesada* (1.1). O livro de Habacuque começa dizendo: "Sentença revelada ao profeta Habacuque" (1.1). A palavra hebraica *massá,* traduzida por "sentença", significa peso, fardo. Não se trata de uma mensagem palatável, agradável aos ouvidos, mas de um aviso solene a uma nação rebelde. Keil e Delitzsch dizem que o profeta Habacuque chama sua profecia de *massá,* ou fardo, porque ele anuncia pesado julgamento sobre a nação do pacto, bem como sobre o poder imperial caldeu.[42] Nessa mesma linha de pensamento, Charles Feinberg diz que a profecia é intitulada "sentença", ou "peso", porque prediz juízos contra Judá e seus inimigos. Habacuque lamenta o pecado do povo e depois o pecado dos inimigos.[43]

Essa mensagem não foi gerada no laboratório da religião do lucro nem proferida por um profeta da conveniência. Foi "revelada ao profeta". Habacuque não tinha o propósito de agradar ao rei de Judá, mas ser fiel ao Rei dos reis. Ele não pregava para arrancar aplauso dos homens, mas para levá-los às lágrimas do arrependimento.

Essa sentença foi revelada, e não autoproduzida. O profeta não cria a mensagem. Ele a transmite da parte de Deus. Habacuque não vem de moto-próprio; ele se levanta da parte do Senhor. Essa sentença não foi dada aos falsos profetas, mas ao profeta Habacuque. Deus fala por intermédio dos seus servos, os profetas. Os profetas não eram figuras populares nem estavam atrás de lisonjas humanas. Os profetas não se deixavam dobrar pela sedução do lucro nem se intimidavam pela ameaça da perseguição e da morte. O profeta Jeremias, contemporâneo de Habacuque, foi preso por causa de sua mensagem. Antes dele, Isaías foi cerrado ao meio.

Em segundo lugar, *o drama de não ter suas orações respondidas* (1.2). A pergunta de Habacuque ecoa como uma forte trombeta: "Até quando, Senhor...?" (1.2). O profeta não ficou estático diante do descalabro moral da nação. Ele não só gritou aos ouvidos do povo da parte de Deus, mas também ergueu sua voz ao céu a favor do povo. Diz Charles Feinberg que o profeta é zeloso da glória de Deus. Não se trata aqui de uma queixa pessoal, pois ele apenas exprime o desejo e o anseio dos piedosos da nação.[44]

A oração do profeta nos fala sobre algumas coisas importantes:

a) A oração de Habacuque foi fruto de uma reação à desoladora situação do seu povo (1.2-4). O profeta não podia ficar passivo diante da corrida desenfreada do mal em sua nação. Ele não se contentava em ser um pregador; ele precisava também ser um intercessor. Ele não apenas bombardeava o povo com sua voz, mas também bombardeava os céus com suas orações. Henrietta Mears diz que Habacuque estava confuso e atônito. Parecia-lhe que Deus não estava fazendo nada para corrigir as condições do mundo. Ele vivera durante os dias da grande reforma sob o bom rei Josias. Tinha visto a Assíria descer em seu poderio, e a Babilônia, sob Nabucodonosor, ascender a uma posição de supremacia. O mundo achava-se em confusão. A violência campeava, e Deus não tomava providência alguma. Pior do que tudo, porém, era a sua própria terra, Judá, sem lei e cheia de tirania. Os justos eram oprimidos (1.4,13). O povo vivia em pecado aberto (1.3; 2.4,5,15,16). Adoravam ídolos (2.18,19). Oprimiam os pobres (1.4,14,15). Habacuque sabia que o dia era tenebroso. Sabia que esse pecado estava levando Jerusalém a sofrer uma invasão por um inimigo forte.[45]

b) A oração de Habacuque foi de grande emergência (1.2). O profeta clama e grita. Ele tem urgência na sua voz e pressa em receber uma resposta. Ele vê o mal galopando rapidamente, levando seu povo para a destruição, e não pode entender como Deus não freia essa corrida para a morte. Warren Wiersbe, comentando sobre esse clamor de Habacuque, escreve:

> Habacuque orou pedindo a Deus que tomasse uma providência quanto à violência, às contendas e às injustiças na terra, mas Deus pareceu não ouvir. No versículo 2, o profeta começa usando o verbo "clamar", que significa simplesmente "pedir socorro", mas em seguida diz: "gritar-te-ei", que no original significa "clamar com um coração perturbado". Ao orar sobre a perversidade em sua nação, Habacuque foi ficando cada vez mais aflito e se perguntou por que Deus parecia tão indiferente.[46]

David Baker afirma que a compreensão teológica que Habacuque tinha de Deus como alguém justo e reto não se encaixava com sua experiência.[47] Muitas vezes, ainda hoje, ficamos aturdidos com a questão do sofrimento do justo. Ficamos perplexos com a arrogância dos maus e como eles, por tão longo tempo, tentam Deus e escapam.

c) A oração de Habacuque se esbarra no silêncio de Deus (1.2a). O profeta clama: "Até quando, Senhor, clamarei eu, e tu não me escutarás?...". Keil e Delitzsch dizem que "não ouvir" é equivalente a "não ajudar". Daí, concluímos que a conduta dos ímpios continuou por um longo tempo, sem que Deus agisse para lhe colocar um ponto final. Isso parecia irreconciliável com a santidade de Deus.[48] J. Sidlow Baxter diz que o problema de Habacuque era o silêncio, a inatividade e o aparente desinteresse de Deus.[49] Dionísio Pape afirma que o profeta contemplava o desmoronamento da pátria amada. O Governador moral do mundo deveria preocupar-se com as infrações à sua santa lei. No entanto, em meio aos cuidados de uma situação perigosa e violenta, o profeta afirmava que Deus nem ouvia nem salvava.[50]

A voz do profeta parece não alcançar os céus. Os ouvidos de Deus parecem fechados ao clamor do profeta. Os céus continuam em silêncio diante do seu grito desesperador. Muitas vezes, o silêncio de Deus é mais perturbador do que as circunstâncias mais ruidosas.

A Bíblia fala de Jó. Ele era um homem justo, íntegro e temente a Deus, que se desviava do mal (Jó 1.1). Contudo, uma avalancha vem sobre ele como catadupas. Ele perdeu todos os seus bens, perdeu todos os seus filhos, perdeu toda a sua saúde, perdeu todo o apoio da sua mulher e toda a solidariedade dos seus amigos. Foi ao fundo do poço. Na extrema agonia da sua dor, ergueu ao céu dezesseis vezes a pergunta: "Por quê?" Por que estou sofrendo? Por que a minha dor não cessa? Por que eu perdi os meus filhos? Por que eu não morri no ventre da minha mãe? Por que eu não morri ao nascer? Por que o Senhor não me mata de uma vez? A única resposta, porém, que Jó teve de seu lamento foi o total silêncio de Deus.

Não são apenas os homens ímpios como Saul (1Sm 28.6) e os rebeldes filhos de Judá nos dias de Isaías (1.15) e de Jeremias (11.14) que têm suas orações não respondidas por Deus, mas, também, homens piedosos como Jó (Jó 30.20) e Davi (Sl 22.2) não encontram resposta para suas orações. Como a mulher siro-fenícia clamou a Jesus (Mt 15.23) e nenhuma palavra lhe foi dada a princípio, assim muitas orações ascendem do coração do povo de Deus sem encontrarem resposta imediata.[51] Ainda hoje, o silêncio de Deus perturba a nossa alma inquieta. Charles Feinberg diz que sempre foi difícil, tanto quanto agora, entender o silêncio de Deus nos assuntos humanos. Esse silêncio não significa, porém, que não há resposta e que a sabedoria divina é incapaz de enfrentar com êxito a situação. Tudo está sob Seus olhos perscrutadores, e tudo se acha sob o controle de Sua mão poderosa.[52]

Isaltino Gomes Coelho Filho diz que o silêncio de Deus não era omissão, pois nas Escrituras o silêncio de Deus sempre precede Seu juízo (Ap 8.1). A Habacuque, Deus parecia apático porque não estava falando. Estava em silêncio. Mas Ele saiu do silêncio. Saiu para efetuar juízo. Ele nos parece silencioso em nossos dias? Presumimo-lo como apático? Lembremo-nos disto: o seu silêncio precede o seu juízo. Sim, Deus está em silêncio. É porque vem juízo por aí.[53]

d) A oração de Habacuque se esbarra na demora de Deus (1.2b). O profeta prossegue: "... Gritar-te-ei: Violência! E não salvarás?" Habacuque, à semelhança de Jó, não hesita em erguer ao céu sua pergunta, uma vez que seu entendimento teológico acerca de Deus e Seus caminhos não corresponde à realidade da sua experiência.[54] O rei Davi, de igual forma, ergueu sua voz para questionar a demora de Deus em atender à sua oração diante das circunstâncias adversas em que estava vivendo (Sl 13.1,2). Nós, ainda hoje, fazemos o mesmo!

A demora de Deus em responder à sua oração aflige mais o profeta do que o avanço do mal entre seu povo. Não é fácil lidar com a demora de Deus. Marta e Maria enviaram uma mensagem a Jesus, informando-lhe que Lázaro estava enfermo. Jesus, em vez de partir imediatamente em direção ao seu amigo, na aldeia a Betânia, demorou-se ainda mais dois dias para sair do local onde estava (Jo 11.6). Quando Jesus chegou em Betânia, Lázaro já estava morto e sepultado havia quatro dias. Marta ficou engasgada com a demora de Jesus e expressou a ele toda a sua dor e frustração (Jo 11.21). Ainda hoje, deixamos vazar do nosso peito, cheio de dor, os gemidos da nossa alma, dizendo: "Até quando, Senhor?"

Em terceiro lugar, *o drama de ver sua geração atolando-se num pântano de corrupção* (1.3). Habacuque sente que Deus está inativo quando se trata de retardar a resposta de sua oração, mas está ativo em lhe mostrar a iniqüidade e a opressão do Seu povo. Ele levanta a sua voz e diz: "Por que me mostras a iniqüidade e me fazes ver a opressão? Pois a destruição e a violência estão diante de mim; há contendas, e o litígio se suscita" (1.3). Não há resposta de Deus para os seus ouvidos, mas há grandes tragédias humanas diante dos seus olhos.

Habacuque viu sua nação cavando a própria sepultura. Ele viu seu povo atolado num pântano de corrupção, violência e impunidade. Ele faz um diagnóstico da sociedade, e o resultado que vê é sombrio. Não se tratava de uma doença qualquer, mas de uma enfermidade mortal. A violência vista por Habacuque era tão vasta quanto aquela descrita por Moisés nos dias que precederam o dilúvio (Gn 6.11).[55]

Isaltino Gomes Coelho Filho afirma que aquilo que Habacuque está presenciando é o oposto do que Balaão viu no passado: "Não se observa iniqüidade em Jacó, nem se vê maldade em Israel; o Senhor, seu Deus, é com ele; no meio dele se ouve a aclamação de um rei" (Nm 23.21). Mas o que o profeta vê é iniqüidade e maldade. E o que ele ouve não é propriamente a aclamação de um rei, mas o clamor de um povo. E não vê, como Balaão viu, o Senhor no meio do povo.[56]

**A radiografia de uma sociedade decadente (1.2-4)**

Habacuque traça um perfil da decadente sociedade de Judá. Seu diagnóstico é sombrio. A doença do povo de Deus estava num estágio avançado. Eis a descrição do profeta:

Em primeiro lugar, *uma sociedade decadente é saturada de violência* (1.2). Russell Norman Champlin diz que a palavra "violência" é usada aqui para sumariar o tipo de mundo que o profeta estava observando.[57] A violência em Judá estava presente no palácio, nos tribunais, nos mercados e nas ruas. A violência tinha se infiltrado em todos os segmentos da sociedade. Ela havia fermentado toda a massa e envenenado de tal forma a nação que o juízo de Deus não podia mais ser retardado ou suspenso.

Ainda hoje, a violência cresce. Estamos vivendo numa sociedade sem Deus, sem princípios, sem justiça. Aqueles que fazem as leis e têm autoridade e poder para aplicá-las e fiscalizá-las, muitas vezes se imiscuem em esquemas criminosos para pisar essas mesmas leis, agindo com truculência e maldade contra os inocentes.

Homens perversos e sanguinários agem ao arrepio da lei, desafiando o Estado de direito, semeando terror e insegurança. Os cartéis do narcotráfico se fortalecem e já são, hoje, um poder paralelo, estimulando o vício, espalhando o crime e matando aqueles que se levantam para lhes impor resistência.

Nossas cidades estão se transformando em campos de sangue, em trincheiras de guerra, em arenas onde bestas-feras matam inocentes sem piedade por motivos fúteis. Os homens de bem estão vivendo acuados, trancados em casa com fortes cadeados, enquanto os bandidos vivem à solta espalhando ameaça e terror. Os delinqüentes, mancomunados com aqueles que vendem sua consciência por dinheiro, conseguem comandar o crime organizado de dentro dos presídios. As autoridades sentem-se impotentes, e a população, insegura. A mensagem de Habacuque é um mapa da situação contemporânea. O profeta Habacuque parece o principal articulista das páginas policiais dos nossos maiores jornais. Habacuque está vivo, e sua voz ainda ecoa!

Em segundo lugar, *uma sociedade decadente é dominada pela iniqüidade, e não pela virtude* (1.3). O que estava perturbando o profeta não era tanto a presença do mal, mas a procedência dele. A violência, a iniqüidade, a opressão, a destruição, a contenda e o litígio procediam do próprio povo de Deus. Usualmente, os inimigos externos eram a fonte das tragédias do povo de Deus, mas neste caso a fonte dos problemas era interna, ou seja, a corrupção moral e espiritual do povo de Deus.[58] O que deixou o profeta estupefato era que a iniqüidade estava florescendo no meio do povo cuja vocação era a santidade (Nm 23.21). A prática da iniqüidade era inconsistente com os privilégios e profissão de fé desse povo separado por Deus para ser luz para as nações.[59]

Habacuque olha para a sua nação e vê a iniqüidade prevalecendo. A virtude foi desprezada, a verdade foi pisada nas ruas, a piedade tinha ficado esquecida, e o povo caminhava célere para a destruição. O pecado é o opróbrio das nações. Uma nação nunca é forte se está entregue à iniqüidade. O homem é apanhado pelas próprias cordas do seu pecado. O que derruba uma nação não é tanto o inimigo externo, mas a corrupção interna. Os historiadores dizem que o Império Romano só caiu nas mãos dos bárbaros porque já estava podre por dentro. Jerusalém não caiu nas mãos dos caldeus; ela foi entregue (Dn 1.1,2). Billy Graham corretamente afirma: "Nenhuma grande nação jamais foi vencida, até se haver destruído a si própria".[60]

Nos dias de Habacuque, como nos dias de hoje, grandes problemas de injustiça podem ser encontrados entre o povo de Deus. Não raro, a igreja confronta com rigor os pecados daqueles que estão fora dela, enquanto tolera em seu meio aquilo que é explicitamente ofensivo à santidade de Deus e contrário às Escrituras. A falta de confrontação do mal dentro da própria igreja, tacitamente, dá permissão aos transgressores para continuarem na prática do seu pecado (1Co 5.1-13).[61]

A violência, a opressão e a iniqüidade de Judá eram piores do que esses males presentes nos caldeus, visto que eles eram o povo escolhido de Deus. Eles eram o povo do pacto. A eles, foi confiada a boa Palavra de Deus. Eles receberam a lei de Deus. Eles ouviram os profetas de Deus. Porém, a despeito de tantos sinais da bondade de Deus, endureceram a cerviz, obstinadamente taparam os ouvidos à voz do Senhor e, por isso, marcharam céleres e resolutos para a morte.

As grandes nações da nossa época, no mundo em geral, estão também marcadas por profunda decadência moral, espiritual e legal. A justiça é exigida com rigor para com os pobres e indefesos, mas torcida pelos poderosos a seu favor.[62]

Em terceiro lugar, *uma sociedade decadente é marcada pelo domínio opressor dos fortes sobre os fracos* (1.3). Habacuque viu a opressão prevalecer em Judá. Ele disse: "Por que [...] me fazes ver a opressão?..." (1.3). Opressão é o domínio truculento do forte sobre o fraco. Opressão é fruto de um sistema corrompido em que as forças do mal se juntam para roubar do pobre, para espoliar o fraco, negando-lhe o direito e amordaçando-lhe a voz.

A iniqüidade e a opressão que campeavam em Judá não eram apenas grandes, mas também públicas. Esses males não estavam apenas medrando nos bastidores, mas desfilando nas ruas. A doença maligna e mortal já tinha vindo à tona. Os vícios mais degradantes não eram mais praticados às escondidas. O povo tinha perdido o pudor. Todas essas coisas horrendas estavam diante dos olhos do profeta.[63]

Em quarto lugar, *uma sociedade decadente é onde estão presentes os sinais visíveis de destruição* (1.3). O profeta prossegue: "... Pois a destruição e a violência estão diante de mim..." (1.3). A destruição dos valores, dos marcos, dos absolutos e dos princípios que regem a família, a igreja e a sociedade desembocam inevitavelmente em desastre. O caos da sociedade é resultado do abandono da lei de Deus. A destruição da cidade de Jerusalém era uma colheita triste de uma semeadura maldita feita à revelia da vontade divina. O povo tapou os ouvidos à voz de Deus. Sacudiu o jugo do Todo-poderoso para prostrar-se diante dos ídolos mudos. Abandonou a Palavra de Deus para dar guarida aos profetas que lhes anunciava paz, paz no meio da tragédia. Deixou a prática da justiça para entregar-se a toda sorte de violência e opressão, burlando as leis, corrompendo os tribunais, comprando os juízes corruptos para esmagarem o pobre, espoliando seus bens.

A violência e a iniqüidade pareciam continuar sem nenhum freio. A maré do pecado estava inundando a cidade e provocando grandes desastres e tragédias.[64] Os sinais da morte estavam presentes, mas o povo fazia questão de não dar atenção a eles. O juízo de Deus estava chegando, mas o povo deliberadamente o ignorava. A safra maldita de seus pecados estava madura para ser colhida, mas a nação dormia o sono da morte, não se apercebendo do perigo iminente.

Em quinto lugar, *uma sociedade decadente é marcada por relacionamentos quebrados* (1.3). Habacuque diagnostica dois graves problemas na área dos relacionamentos no meio do seu povo:

a) Havia contendas entre as pessoas (1.3). O profeta diz: "[...] há contendas..." (1.3). Contenda é uma tensão relacional. É uma relação quebrada pela desavença. É uma disputa sem acordo. É um interesse egoísta que busca prevalecer sempre. É uma indisposição absoluta de caminhar na direção da reconciliação. Contenda é a incapacidade de olhar para a vida na perspectiva do outro, de pensar no bem do outro, de enxergar o direito do outro e de perdoar o outro.

b) Havia litígio entre as pessoas (1.3). Habacuque conclui: "[...] e o litígio se suscita" (1.3). A sociedade de Judá estava dividida por várias facções, e esses diferentes grupos devoravam uns aos outros. Esses litígios provocavam distúrbios na sociedade, enfraqueciam a família e minavam a vida doméstica, política e religiosa da nação.[65] As brigas não apenas brotavam entre o povo, mas eram também levadas aos tribunais. O povo não só suscitava as contendas, mas não encontrava caminho de solução senão perante os magistrados. O clima entre as pessoas era de guerra, de competição draconiana. Nesses litígios, os fortes sempre prevaleciam sobre os fracos; os ricos sempre recebiam sentenças favoráveis sobre os pobres.

Em sexto lugar, *uma sociedade decadente é onde a impunidade prevalece* (1.4a). Habacuque diz: "Por esta causa, a lei se afrouxa..." (1.4). Delitzsch diz que a palavra "lei" aqui é *a Torah*, ou seja, a lei revelada em toda a sua substância, que tinha o propósito de ser a alma e o coração de toda a vida política, religiosa e doméstica.[66] A. R. Crabtree, por sua vez, entende que Habacuque não está falando aqui simplesmente da lei no sentido da revelação divina, mas da lei orgânica ou estatutária, baseada no Pentateuco e administrada pelos anciãos ou juízes.[67] Essa lei já não tinha mais autoridade nem respeito em Judá. Ela era paralisada e ineficaz, não produzindo nenhum resultado positivo. A lei tinha sofrido um golpe de nocaute, e a iniqüidade era o vitorioso incontestável.[68] David Baker afirma que o resultado dessas injustiças sem fim é que a lei (a principal força que deveria tê-los sob controle) se afrouxa. A lei deveria ser o alicerce da ordem divina para a sociedade (Êx 18.16,20; Is 2.3; Jr 32.23), mas esta estava sem vigor.[69] Concordo com Isaltino Gomes Coelho Filho quando afirma que a palavra "lei", *torah,* neste contexto não se trata da lei revelada. Esta não afrouxa nunca (Is 40.8). O termo está sendo aplicado à lei jurídica. Ela brota da lei revelada, e, por isso, é chamada de *torah.*[70]

A lei não passava de uma mera peça de decoração a enfeitar o leito de uma sociedade em estado terminal. A lei existia, mas não era cumprida. A lei estabelecia limites, mas estes não eram respeitados. Os infratores tinham plena consciência de que seus crimes não seriam apanhados ou jamais seriam punidos exemplarmente. Onde a impunidade prevalece, a lei fica frouxa, e o povo amarga desilusão. Em Judá, as pessoas más ganhavam, e as pessoas boas perdiam. Os juízes não mais tomavam decisões justas. A lei, que fornecia os ensinamentos morais, tinha sido abandonada. A nação de Judá tornou-se destituída de lei.[71]

Em sétimo lugar, *uma sociedade decadente é marcada por um poder judiciário impotente ou corrompido* (1.4b). Habacuque diz: "[...] a justiça nunca se manifesta..." (1.4). A justiça nos tribunais era uma piada, porquanto o dinheiro, e não a justiça, determinava o resultado dos julgamentos e os decretos dos reis.[72] A justiça não se manifestava por duas razões: por fraqueza dos magistrados ou por conivência deles com os esquemas de opressão. Naquele tempo, Judá estava sendo governada por homens maus. A liderança da nação estava rendida aos crimes mais execráveis. Quando a liderança se corrompe, o povo geme.

Warren Wiersbe diz que os problemas de Judá eram causados por líderes que não obedeciam à lei. Os ricos exploravam os pobres e escapavam do castigo subornando os oficiais. A lei era ignorada ou distorcida, e ninguém parecia se importar. Os tribunais eram corruptos, os oficiais só se interessavam em ganhar dinheiro, e a admoestação de Êxodo 23.6-8 era completamente desconsiderada.[73]

A certeza da impunidade é um poderoso estímulo para o transgressor. É esta a razão moral pela qual o crime deve ser punido. Além de ser transgressão, é estímulo. E é por essa razão que um cristão não se compactua com o mal. Ser conivente é estimular o erro. "A justiça nunca se manifesta" é a conseqüência da impunidade e da corrupção, diz Isaltino Gomes Coelho Filho.[74]

Russell Champlin diz que não havia mais verdade objetiva e final em Judá. O pragmatismo e o utilitarismo prevaleciam. Os injustos eram peritos no seu poder de enganar e roubar os justos e inocentes. Os judeus da época tinham se tornado em ateus práticos (Tt 1.16). Provavelmente, professavam crença em Deus, mas viviam em consonância com seus interesses próprios, que eram o seu deus real.[75]

Em oitavo lugar, *uma sociedade decadente é onde se vê uma inversão total dos valores* (1.4). Habacuque prossegue no seu diagnóstico da decadente sociedade de Judá e diz: "[...] porque o perverso cerca o justo..." (1.4). O justo estava nas mãos dos bandidos, e nada podia fazer para livrar-se dessa situação opressora. Havia um esquema criminoso em curso sob a omissão de uns e a aprovação de outros para violar o direito do justo, para oprimir o fraco e explorar o necessitado. Não havia a quem recorrer. Os poderes constituídos estavam infiltrados pelo mal e blindados contra toda sorte de resistência dos justos.

Charles Feinberg, analisando este texto, diz que, por força de juízes injustos, a lei era desprezada. Visto que as formas de julgamento estavam corrompidas, tanto a vida quanto a propriedade não tinham segurança. A justiça não podia prevalecer porque os maus sabiam como cercar o justo por todos os lados, de modo que não pudesse receber o que lhe era devido. O erro judicial era a ordem do dia. Mediante processos fraudulentos, os ímpios enganavam o justo, pervertendo todo o direito e toda a honestidade. Considerando que Deus não punia o pecado de imediato, os homens pensavam que poderiam continuar nele impunemente (Ec 8.11).[76] A corrupção da justiça é o caos em qualquer nação. É o mergulho na desordem total e o ponto final nas esperanças dos pobres.[77]

Em nono lugar, *uma sociedade decadente é onde os tribunais estão mancomunados com os criminosos para roubar o direito dos justos* (1.4). Habacuque termina sua análise, dizendo: "[...] a justiça é torcida" (1.4). As decisões eram dadas contrárias ao direito. Observe que a justiça não era torta; ele era torcida. E, se era torcida, era torcida por alguém. Os juízes estavam de mãos dadas com os poderosos para oprimir os fracos. Esse foi o pecado que levou o Reino do Norte ao colapso. Judá não aprendeu a lição, por isso estava cometendo o mesmo erro fatal e enfrentaria o mesmo destino amargo.

T. Whitelaw diz que o texto em tela nos ensina algumas lições práticas:

a) nenhum homem de Deus pode ficar indiferente ao caráter moral e espiritual do tempo em que vive;

b) o homem de Deus deve nutrir o mais alto interesse de levar os problemas de sua nação a Deus em oração;

c) o homem de Deus jamais deve perder a confiança em duas coisas: que Deus está do lado da justiça, mesmo quando a iniqüidade parece triunfar; e que Deus ouve suas orações, mesmo quando Ele demora em responder a elas ou parece indeferi-las.[78]

**Notas capítulo 2**

[38] Collins, Owen. *The classic Bible commentary.* Crossway Books. Wheaton, Illinois. 1999: p. 816.

[39] Henry, Matthew. *Matthew Henry's commentary in one volume.* Zondervan Publishing House. Grand Rapids, Michigan. 1960: p. 1.162.

[40] Wenham, G. J. et all. *New Bible commentary.* Inter-Varsity Press. Downers Grove. Illinois. 1994: p. 842.

[41] Wolfendale, James. *The preacher's complete homiletic commentary on the books of the minor prophets.* Vol. 20. 1996: p. 487.

[42] Keil, C. F. & Delitzsch, F. *Commentary on the Old Testament.* Vol. X. William B. Eerdmans Publishing Company. Grand Rapids, Michigan. 1978: p. 55.

[43] Feinberg, Charles L. *Os profetas menores.* Editora Vida. Flórida. 1988: p. 208.

[44] Feinberg, Charles L. *Os profetas menores.* 1988: p. 208.

[45] Mears, Henrietta C. *Estudo panorâmico da Bíblia.* Editora Vida. Flórida. 1982: p. 283.

[46] Wiersbe ,Warren W. *Comentário bíblico expositivo.* Vol. 4. Geográfica Editora. Santo André, SP. 2006: p. 509.

[47] Baker, David et all. *Obadias, Jonas, Miquéias, Naum, Habacuque e Sofonias.* Edições Vida Nova. São Paulo, SP. 2006: p. 331.

[48] Keil, C. F. & Delitzsch, F. *Commentary on the Old Testament.* Vol. X. 1978: p. 56.

[49] Baxter, J. Sidlow. *Examinai as Escrituras – Ezequiel a Malaquias.* Edições Vida Nova. São Paulo, SP. 1995: p. 239.

[50] Pape, Dionísio. *Justiça e esperança para hoje.* ABU. São Paulo, SP. 1983: p. 82.

[51] Whitelaw, T. *The pulpit commentary – Habakkuk.* 1978: p. 7.

[52] Feinberg, Charles L. *Os profetas menores.* 1988: p. 208,209.

[53] Coelho Filho, Isaltino Gomes. *Habacuque: nosso contemporâneo.* 1990: p. 25.

[54] Wenham, G. J. et all. *New Bible commentary.* 1994: p. 842.

[55] Whitelaw, T. *The pulpit commentary – Habakkuk.* Vol. 14. William B. Eerdmans Publishing Company, Grand Rapids, Michigan. 1978: p. 7.

[56] Coelho Filho, Isaltino Gomes. *Habacuque: nosso contemporâneo.* 1990: p. 23.

[57] Champlin, Russell Norman. *O Antigo Testamento interpretado versículo por versículo.* Vol. 5. Editora Hagnos. São Paulo, SP. 2003: p. 3.615.

[58] Wenham, G. J. et all. *New Bible commentary.* 1994: p. 842.

[59] Whitelaw, T. *The pulpit commentary – Habakkuk.* 1978: p. 6.

[60] Graham, Billy. *O mundo em chamas.* Editora Record. 1966: p. 33.

[61] Wenham, G. J. et all. *New Bible commentary.* 1994: p. 842.

[62] Coelho Filho, Isaltino Gomes. *Habacuque: nosso contemporâneo.* JUERP. Rio de Janeiro, RJ. 1990: p. 21.

[63] Whitelaw, T. *The pulpit commentary – Habakkuk.* 1978: p. 6.

[64] Champlin, Russell Norman. *O Antigo Testamento interpretado versículo por versículo.* Vol. 5. 2003: p. 3.615.

[65] Wolfendale, James. *The preacher's complete homiletic commentary on the books of the minor prophets.* Vol. 20. Baker Books. Grand Rapids, Michigan. 1996: p. 487.

[66] Keil, C. F. & Delitzsch, F. *Commentary on the Old Testament.* Vol. X. 1978: p. 57.

[67] Crabtree, A. R. *Profetas menores.* Casa Publicadora Batista. Rio de Janeiro, RJ. 1971: p. 239.

[68] Champlin, Russell Norman. *O Antigo Testamento interpretado versículo por versículo.* Vol. 5. 2003: p. 3.615.

[69] Baker, David W. et all. *Obadias, Jonas, Miquéias, Naum, Habacuque e Sofonias.* 2006: p. 332.

[70] Coelho Filho, Isaltino Gomes. *Habacuque: nosso contemporâneo.* 1990: p. 23.

[71] Champlin, Russell Norman. *O Antigo Testamento interpretado versículo por versículo.* Vol. 5. 2003: p. 3.615.

[72] Champlin, Russell Norman. *O Antigo Testamento interpretado versículo por versículo.* Vol. 5. 2003: p. 3.615.

[73] Wiersbe, Warren W. *Comentário bíblico expositivo.* Vol. 4. 2006: p. 509.

[74] Coelho Filho, Isaltino Gomes. *Habacuque: nosso contemporâneo.* 1990: p. 23.

[75] Champlin, Russell Norman. *O Antigo Testamento interpretado versículo por versículo.* Vol. 5. 2003: p. 3.615.

[76] Feinberg, Charles L. *Os profetas menores.* 1988: p. 209.

[77] Coelho Filho, Isaltino Gomes. *Habacuque: nosso contemporâneo.* 1990: p. 23.

[78] Whitelaw, T. *The pulpit commentary – Habakkuk.* 1978: p. 7.

## Capítulo 3

# Quando o céu deixa a terra alarmada

(Hc 1.5-11)

HABACUQUE ESTAVA PERPLEXO com o que via na terra; agora, está perturbado com o que ouve do céu.

O profeta estava inquieto com o silêncio de Deus; mas ficou mais desesperado quando Deus começou a falar. A resposta de Deus não era exatamente o que Habacuque queria, mas Deus não subordina Seus projetos ao querer humano. Deus cumpre a Sua Palavra não apenas quando esta é a nosso favor, mas também quando ela é contra nós.

Destacamos três pontos:

Em primeiro lugar, *a voz de Deus pode ser mais perturbadora do que seu silêncio.* Habacuque estava inconformado com o silêncio de Deus ao seu clamor (1.2). Ele apresentou a Deus em oração uma causa urgente, mas a resposta imediata não veio. Às vezes, temos pressa de ouvir uma resposta, mas nenhuma voz ecoa do trono de Deus para acalmar o nosso coração. Quando Deus respondeu à oração de Habacuque, ele ficou ainda mais aflito, pois a resposta veio de forma jamais imaginada pelo profeta. Deus não está sujeito ao nosso programa. Ele não obedece às nossas agendas. Seus caminhos são mais elevados do que os nossos.

Warren Wiersbe diz que Deus deu a Habacuque uma revelação, e não uma explicação.[79] Dionísio Pape diz que a resposta de Deus parecia inacreditável, pois Deus advertiu a Habacuque que a verdade sobre a situação de Judá era pior do que ele pensava, e dava para ele desmaiar![80]

Em segundo lugar, *a ação de Deus pode ser mais perturbadora do que Sua inação.* Habacuque se queixa de que Deus não ouve nem salva (1.2). O profeta, em vez de ouvir uma resposta de Deus ao seu clamor, via apenas a iniqüidade e a opressão do seu povo avançando para um juízo inevitável (1.3). Quando Deus estendeu Seu braço para agir, porém, trouxe não a restauração de imediato, mas a disciplina. A ação de Deus veio na contramão da expectativa e da vontade do profeta. Deus trouxe os caldeus para serem a vara da Sua disciplina sobre Judá. Habacuque se queixava da apatia de Iavé e do Seu silêncio nos negócios de Judá. Porém, se o que o profeta queria era ação divina, ele a teve. O Deus que trabalha em silêncio nunca deixou de agir.

Warren Wiersbe diz que Deus havia advertido Seu povo repetidamente sem que este desse ouvidos. Vários profetas haviam proclamado a Palavra (2Cr 36.14-21), só para serem rejeitados. Deus enviará calamidades naturais, como secas e pragas, bem como diversas derrotas militares, mas o povo não se abalou. Em vez de se arrependerem, as pessoas endureceram o coração ainda mais e buscaram a ajuda dos deuses das nações ao redor. Haviam tentado a longanimidade de Deus tempo suficiente, e era chegada a hora de o Senhor agir.[81]

T. Whitelaw descreve o caráter desse julgamento de Deus como segue: [82]

a) seu sujeito: a terra e o povo de Judá (1.6). Judá era o povo do pacto, e estava escrito que, se o povo se apartasse da aliança, a disciplina de Deus o alcançaria (Dt 28.14,15,25; Sl 89.30-37);

b) seu autor: o Deus Iavé. Os olhos de Deus estão não apenas sobre o Seu povo, mas sobre todos os homens, em toda a terra (Sl 11.4). O Deus supremo está por trás das causas secundárias. Ele levanta e dispersa as nações (Jó 12.23). Quando a Assíria invadiu Israel, foi a mão de Deus que acionou a vara da disciplina (Is 10.5). Agora, é Deus quem está trazendo a Babilônia para disciplinar Judá (1.6);

c) sua certeza: é Deus quem suscita os caldeus (1.6). Assim como Deus levantou Babilônia como império mundial e a trouxe contra Judá e entregou Jerusalém nas mãos de Nabucodonosor, assim também é certo o julgamento futuro (Ml 3.5; At 17.31);

d) sua iminência: o julgamento se daria nos dias do profeta (1.5). Da mesma forma, o julgamento do último dia está às portas (Tg 5.9; 1Pe 4.7; Ap 22.12);

e) sua estranheza: a obra de Deus não seria acreditada quando fosse contada (1.5). Deus é livre e soberano para agir, e, muitas vezes, Sua ação provoca espanto e surpresa. Judá jamais poderia imaginar que o próprio Deus o entregaria nas mãos da perversa Babilônia;

Em terceiro lugar, *o pecado do povo de Deus é mais terrível do que o pecado do ímpio.* O profeta Habacuque ficou muito confuso com o fato de Deus usar os caldeus, um povo mais perverso, para disciplinar a sua nação. Contudo, quando o povo de Deus peca, seu pecado é mais grave do que o pecado do ímpio, pois o povo de Deus peca contra um maior conhecimento, contra um maior amor e contra maiores advertências.

Isaltino Gomes Coelho Filho afirma corretamente que Israel e Judá foram punidos não apenas por pecados litúrgicos, alusivos ao culto e à doutrina; muito mais do que isso, foram punidos por causa da desordem social e moral, da exploração do pobre e pela ganância sem medida dos poderosos. A justiça tendenciosa é abominação ao Senhor.[83]

Examinemos o texto em tela e tiremos algumas lições oportunas:

## Uma descrição da ação de Deus (1.5)

James Wolfendale diz que Deus não é um espectador despreocupado. Habacuque estava em crise porque Deus parecia surdo ao seu clamor e inativo diante da clamorosa injustiça prevalecente no reino de Judá. Deus, porém, sempre vindica Sua glória, e a disciplina sempre vem sobre os transgressores. Habacuque registra essa obra da vingança de Deus de cinco formas: 1) É uma obra de Deus: "[...] porque [eu] realizo..." (1.5). 2) É uma obra iminente: "[...] em vossos dias" (1.5). 3) É uma obra que produzirá espanto: "[...] olhai, maravilhai-vos e desvanecei" (1.5). 4) É uma obra inacreditável: "[...] obra tal, que vós não crereis, quando vos for contada" (1.5). 5) É uma obra que demandará atenção: "Vede entre as nações, olhai, maravilhai-vos e desvanecei..." (1.5).[84]

Destacamos alguns pontos para aclarar o nosso entendimento:

Em primeiro lugar, *Deus exerce um governo universal, e não apenas doméstico* (1.5). Deus responde à oração de Habacuque e lhe diz: "Vede entre as nações..." (1.5). O profeta Habacuque estava com o seu olhar voltado apenas para Judá, mas Deus lhe ordena a levantar os olhos e ver entre as nações. Habacuque vê apenas o seu país. A compreensão humana dos eventos é quase sempre geográfica, paroquial e restrita. A visão de Deus, porém, é universal. O profeta vê apenas o aqui e agora. Mas tanto a visão quanto a ação de Deus vêm dentro de um contexto histórico universal.[85]

O governo de Deus abrange o mundo inteiro. Ele não é apenas o Deus da Igreja. Seu reinado não é apenas circunscrito aos templos religiosos. Deus governa todos os povos. Seu reinado abrange todas as nações. Ele é quem levanta reis e abate reis, levanta reinos e abate reinos. A História não está à deriva, mas em Suas soberanas mãos.

Em segundo lugar, *Deus não está inativo, mas trabalhando para julgar o pecado* (1.5). Deus prossegue em sua resposta: "[...] olhai, maravilhai-vos e desvanecei, porque realizo, em vossos dias, obra tal, que vós não crereis, quando vos for contada" (1.5). O silêncio de Deus não é sinônimo de inação; é o prelúdio do juízo. O pecado não é punido imediatamente, mas nem por isso fica impune. A ordem irremediável é: arrepender e viver, ou não se arrepender e morrer. Quem não ouve o chamado da graça, ouvirá a buzina do juízo.

A obra que Deus estava para realizar em Judá produziria dois sentimentos chocantes:

a) a obra de Deus produziria espanto. Ela vem de forma surpreendente e contrária às expectativas românticas. A ação de Deus trouxe desvanecimento, e não alento imediato, ao profeta. Habacuque ficou mais chocado com a ação de Deus do que com Sua inação. Deus vai usar os pagãos para julgar o Seu próprio povo. Os contemporâneos de Habacuque presumiam que Iavé protegesse os Seus e castigasse os incrédulos. Hoje, ainda, há muitos cristãos que pensam que Deus é sempre bom para os crentes e sempre punidor dos não-crentes. Pensam também que Ele dá consecução aos Seus planos somente por meio dos crentes.[86]

b) a obra de Deus produziria uma sensação de incredulidade. Ninguém poderia crer que Deus escolheria os caldeus para disciplinar Judá. Ninguém poderia crer que Deus entregaria Jerusalém nas mãos de um povo idólatra. Ninguém poderia crer que Deus entregaria os vasos sagrados do templo para serem profanados nos templos pagãos da Babilônia (Dn 1.1,2). Isaltino Gomes Coelho Filho diz que Deus usa os pagãos. Ele usa gente fora da igreja. Em Isaías 44.28, Iavé chama Ciro de "meu pastor". Em Isaías 45.1, chama-o de "ungido". Como Deus é grande! Ele não está limitado às pessoas. Ele usa quem quer e quando quer e não deve nada a ninguém por isso.[87]

Paul Kleinert diz que o julgamento de Deus é incompreensível à mente humana porque ele é maior do que tudo aquilo que a mente humana poderia conceber (1.5), ele vem por caminhos que a mente humana jamais poderia imaginar (1.6), e, também, ele vem por meio de eventos que à primeira vista nada têm a ver com Deus (1.6-11).[88]

Matthew Henry, comentando sobre esse julgamento de Deus a Judá, afirma que ele foi um julgamento público, chocante, rápido e exemplar. Esse julgamento tipifica a destruição que Deus trouxe àqueles que desprezaram Cristo e Seu evangelho. A ruína de Jerusalém pelos caldeus foi uma figura da sua destruição pelos romanos e uma figura da destruição dos ímpios no juízo final.[89]

Em terceiro lugar, *Deus não permanece silencioso; Ele responde às orações* (1.5,6). A marcha tenebrosa dos caldeus contra Judá era a resposta divina às orações de Habacuque! Quando a lei de Deus é violada, é tempo de clamar pela intervenção de Deus (Sl 119.162). Habacuque pedira a intervenção divina. Ei-la anunciada. Como Deus responde às orações! Quando o povo se arrepende, Deus envia a restauração; quando endurece a cerviz, Deus envia o juízo. Quem não escuta a voz da graça, recebe o chicote da disciplina. Habacuque queria ver a justiça, e ela chegou, só que por meio da disciplina de Deus.

## Uma descrição da disciplina de Deus (1.5,6)

Destacamos alguns pontos para o melhor entendimento dessa matéria:

Em primeiro lugar, *o Deus que disciplina Seu povo é o soberano Senhor da História* (1.6). O mapa político do mundo estava passando por grandes mudanças. A Assíria, a grande potência econômica e militar, tinha acabado de se render ao poderio da Babilônia. O Egito, outra grande potência, também havia sido derrotado pelos mesmos caldeus em Carquemis, na Síria. A Babilônia erguia-se como um império opulento e conquistador. Mas Deus diz ao profeta que esse megalomaníaco império não se levantara por mérito próprio; ao contrário, era o próprio Deus quem o suscitara, e o suscitara para disciplinar o Seu povo.

Em segundo lugar, *Deus usa até o ímpio para cumprir Seus propósitos soberanos* (1.6). Os caldeus eram instrumentos de Deus, e não agentes à revelia do Seu poder. Eles estavam a serviço de Deus. Eles eram a vara da Sua disciplina para castigar Judá. Deus é soberano e pode usar quem Ele quer para os propósitos soberanos da Sua vontade. Deus mesmo traz o flagelo da invasão inimiga sobre o Seu povo. Em Jeremias 25.9, o invasor caldeu, Nabucodonosor, é chamado por Deus de "meu servo". Em Isaías 10.5, o profeta diz que Deus vai usar a Assíria como "vara da sua ira".[90] Russell Norman Champlin diz que, dentre os pagãos, virá o terror que corrige, o látego de Iavé. Essa será uma maravilha espantosa.[91]

Charles Feinberg diz que talvez nessa ocasião a nação babilônica ainda era amistosa. Cedo eles invadiriam a terra em três cercos no tempo de Jeoaquim, de Joaquim e de Zedequias. Nosso profeta tem em vista essas invasões.[92]

Em terceiro lugar, *o juízo que sobreveio ao reino de Judá não procedeu do diabo nem do mundo, mas de Deus* (1.6). Há muitos escritores e pregadores que atribuem todo o mal que acontece no mundo ao diabo. Contudo, muita coisa que atribuímos ao maligno é ação direta do juízo de Deus. Não foi o diabo que trouxe os caldeus. Não foi o engenho político de Nabucodonosor nem mesmo a grandeza do seu poder militar que o fez invadir Jerusalém. Foi Deus quem entregou em suas mãos o Seu povo rebelde. Nabucodonosor não agiu de moto próprio; ele foi agente de Deus. O nosso Deus é o Senhor absoluto da História.

Em quarto lugar, *a intervenção de Deus na disciplina do Seu povo produz espanto até nos mais piedosos* (1.5). Ser cristão não é receber imunidade para pecar. Ser cristão não é ter licença para viver desbragadamente na desobediência. Quando o povo de Deus peca, ele se torna mais culpado que o ímpio. Quando o povo de Deus desobedece, a disciplina torna-se inevitável. As formas de Deus disciplinar o Seu povo, entretanto, podem deixar os mais piedosos boquiabertos.

Muito daquilo que julgamos ser uma catástrofe natural ou um desastre histórico não passa de uma disciplina rigorosa aplicada por Deus ao Seu povo.

A resposta de Deus deixou Habacuque alarmado. É certo que o castigo esmagador prometido a Judá era merecido; mas por que Deus deveria punir Judá por meio de um povo muito mais perverso e cruel do que os próprios judeus? Esse pensamento chocava Habacuque.

J. Sidlow Baxter diz que a invasão dos caldeus parecia difícil harmonizar-se com sua fé na justiça do governo do Senhor sobre as nações da terra. David Baker diz que a resposta que Habacuque aguardava da sua queixa ou lamento era um oráculo de salvação, mas a resposta veio como um oráculo de juízo.[93] A. R. Crabtree, nessa mesma linha de pensamento, diz que o problema de Habacuque é teológico. Como é que Deus, tão puro de olhos, podia usar os caldeus, tão injustos e tão cruéis, para castigar o povo de Judá? Há certamente um grande conflito entre a justiça e a injustiça.[94]

Esse é o mesmo tipo de problema que nós ainda sentimos quando paramos para refletir sobre as perversas atitudes de Adolf Hitler na Segunda Guerra Mundial. Ele provocou um terrível caos na Europa, feriu até à morte a França e pareceu que até executaria seu plano perverso sobre a Inglaterra. Podíamos entender que a Inglaterra e outros estavam sendo punidos por sua impiedade; mas por que esse castigo deveria ser infligido pelos nazistas, a horda mais brutal, imoral e anticristã da terra?[95]

### Uma descrição do instrumento usado por Deus (1.6-11)

A descrição que Deus faz dos caldeus é assombrosa: nação amarga e impetuosa (1.6). Eles são pavorosos e terríveis

(1.7). Agem com violência e ajuntam os cativos como areia (1.9). Escarnecem e riem (1.10). O profeta Habacuque descreve oito características dos caldeus, que vamos agora considerar:

Em primeiro lugar, *eles eram cruéis* (1.6). Deus fala a Habacuque sobre os caldeus desta forma: "Pois eis que suscito os caldeus, nação amarga e impetuosa..." (1.6). Os caldeus eram guerreiros experimentados. Eles não respeitavam nenhum poder político, econômico ou militar. Não havia na terra ninguém que pudesse resisti-los. Eles eram amargos, impetuosos e cruéis. Não havia na atitude deles qualquer complacência ou misericórdia. Eram opressores de primeira ordem e totalmente destituídos de restrições morais.[96] Por onde passavam, deixavam um rastro de morte e destruição.

Em segundo lugar, *eles eram expansionistas* (1.6b,9). O relato de Deus prossegue acerca dos caldeus: "[...] que marcham pela largura da terra, para apoderar-se de moradas que não são suas" (1.6). Os caldeus eram insaciáveis em suas conquistas. Eles queriam dominar o mundo inteiro. Queriam ampliar e estender o limite de seu reino para todos os rincões da terra. Por onde passavam, pilhavam cidades, feriam pessoas e conquistavam terras. Eles estavam efetuando ataques generalizados contra os povos vizinhos, matando e saqueando, apossando-se de territórios que não lhes pertenciam. Judá era apenas uma partícula de poeira para esse gigantesco aspirador de pó.[97]

Em terceiro lugar, *eles eram implacáveis* (1.7). A descrição acerca dos caldeus continua alarmante: "Eles são pavorosos e terríveis..." (1.7). Os caldeus eram truculentos, sanguinários, cruéis e desumanos. Não tinham piedade nem respeito a qualquer direito. Eles pisavam os homens como se pisa a lama. Abusavam das mulheres e forçavam as jovens sem nenhum constrangimento. Passavam ao fio da espada velhos e crianças sem nenhum remorso (Lm 2.21; 4.5; 5.11-18). A presença deles lançava medo. Eram terríveis. Russell Champlin diz que eles não se incomodavam com a opinião pública ou com as leis internacionais.[98]

Em quarto lugar, *eles eram absolutistas* (1.7b). Deus fala a Habacuque: "[...] e criam eles mesmos o seu direito e a sua dignidade" (1.7b). Eles eram a sua própria lei. Não tinham limites em sua ganância de ajuntar terras nem limites em sua soberba, pois se colocavam acima de qualquer preceito. Eles se assentavam no cume dos montes e se julgavam autoridade máxima do Universo. Não estavam sujeitos a ninguém. Não prestavam obediência a ninguém. Tinham a força. Eram a lei. Condecoravam a si mesmos com máxima dignidade. Isaltino Gomes Coelho Filho diz que o direito que os caldeus conheciam era o direito da força.[99]

Em quinto lugar, *eles eram irresistíveis* (1.8). Deus, descrevendo os caldeus para Habacuque, os compara a leopardos ligeiros, a lobos noturnos e a águias famintas: "Os seus cavalos são mais ligeiros do que os leopardos, mais ferozes do que os lobos ao anoitecer são os seus cavaleiros que se espalham por toda parte; sim, os seus cavaleiros chegam de longe, voam como águia que se precipita a devorar" (1.8).

Sobre o leopardo, se diz que, dos predadores, é o mais sedento por sangue. Tem uma grande agilidade para a caça e alcança uma velocidade incrível quando dispara em linha reta. O seu porte físico, aliado à velocidade, permite-lhe dar um bote que muitas vezes quebra a coluna vertebral do animal caçado. É muito difícil escapar dele. O lobo da noite se refere ao lobo da planície que sai para caçar quando o sol se põe. Fica, então, com as trevas a seu favor e possui, ainda, visão noturna, o que é a garantia de boa caça. Sobre a águia que se joga sobre o animal que ela está caçando, realça a rapidez de seu ataque. Em suma: Judá está irremediavelmente perdido. Não tem como escapar de tão hábil caçador, diz Isaltino Gomes Coelho Filho.[100]

Em sexto lugar, *eles eram conquistadores insolentes* (1.9-11a). A descrição dos caldeus é aterrorizante: "Eles todos vêm para fazer violência; o seu rosto suspira por seguir avante; eles reúnem os cativos como areia. Eles escarnecem dos reis; os príncipes são objeto do seu riso; riem-se de todas as fortalezas, porque, amontoando terra, as tomam. Então, passam como passa o vento e seguem..." (1.9-11a).

O texto diz que os caldeus vêm com violência (1.9). Violência era o pecado de Judá (1.2). Judá será punido pela violência que praticou. Judá vai colher o que plantou. Judá vai beber o refluxo do seu próprio fluxo. Jesus afirmou que os que lançam mão da espada, à espada morrerão (Mt 26.52). O profeta Obadias diz de forma contundente: "[...] o teu feito tornará sobre a tua cabeça" (Ob 15). O apóstolo Paulo reitera: "Não vos enganeis: de Deus não se zomba; pois aquilo que o homem semear, isso também ceifará" (Gl 6.7).

Warren Wiersbe diz que os caldeus não tinham respeito algum por autoridade, quer reis quer generais (uma de suas práticas era colocar reis capturados em jaulas e exibi-los como animais). Em seus cercos, escarneciam de portas e de muros, enquanto construíam as rampas e capturavam as cidades fortificadas. O poder era o seu deus e dependiam somente de suas próprias forças.[101]

Isaltino Gomes Coelho Filho diz que a descrição das conseqüências dos ataques dos caldeus é feita de forma bem vívida. Seus exércitos agem "[...] como um vento" (1.11). É o vento quente e seco que vinha do deserto, queimando as plantações. Os profetas o usam como símbolo das invasões estrangeiras, porque ele trazia a morte. Eles fazem cativos "como areia". É uma expressão para multidão (Gn 22.17). Hordas de pessoas eram levadas para a Babilônia, para ali servirem como escravos. Eles riem de todas as fortalezas, porque, amontoando terra, as tomam (1.10). Os caldeus cercavam as fortalezas muradas, faziam elevados de terra e escalavam os muros. Eles levantavam rampas de ataque.[102]

Os caldeus não apenas reduziam os cativos como areia, mas também escarneciam de reis e príncipes. Eles não apenas dominavam; também zombavam dos dominados. Eles não apenas saqueavam, pilhavam e destruíam tudo, mas zombavam dos seus conquistados. Eles não tinham apenas poder, mas também soberba. Eles não tinham apenas força, mas também truculência.

Em sétimo lugar, *eles eram megalomaníacos* (1.11b). Deus ainda descreve os caldeus para Habacuque, dizendo: "[...] estes cujo poder é o seu deus" (1.11b). Os caldeus eram politeístas; tinham vários deuses, mas a principal divindade deles era o seu poder. Eles cultuavam sua própria força e divinizavam seu próprio poderio militar. Sentiam-se supremos. Para eles, não havia nenhum poder na terra ou no céu capaz de detê-los. Estavam acima do bem e do mal. Consideravam-se deuses, e, por isso, toda a terra deveria se curvar diante dos seus pés. Embriagados por suas esplêndidas vitórias, eles se exaltavam até às alturas. Eles fizeram disto objeto de seu culto e louvor, diz Clifton Allen.[103]

David Baker diz que os babilônios eram arrogantes, colocando-se no lugar de Deus. Eles chegaram a promulgar o seu próprio direito e a honrar a si mesmos. O poder e o orgulho com freqüência caminham juntos.[104]

Em oitavo lugar, *eles eram culpados* (1.11c). Finalmente, Deus descreve os caldeus como culpados. Habacuque escuta algo que o conforta: "[...] fazem-se culpados..." (1.11b). Durante todo o tempo, Deus estava usando os caldeus, mas eles nunca reconheceram a mão de Deus. Nunca discerniram que era a mão de Deus que os suscitara. Jamais reconheceram a soberania de Deus na História e, por isso, nunca se curvaram diante da Sua poderosa mão. Agiram com crueldade, sem refletir que um dia teriam de prestar contas da sua ação truculenta.

Russell Champlin diz que, além de todos os seus pecados, eles eram culpados de sacrilégio, porquanto faziam de coisas profanas os seus deuses. A força bruta dos armamentos era a divindade suprema dos caldeus. A espada e a lança eram seus ídolos. Por isso, Deus os levou à ruína.[105]

T. Whitelaw resume este parágrafo oferecendo-nos algumas lições práticas:[106]

a) se o povo de Deus pecar, ele deve esperar pela disciplina (Dt 11.28);

b) se o povo de Deus é disciplinado por seus pecados, os inimigos de Deus não podem ter esperança de escapar do julgamento divino (1Pe 4.17,18);

c) Deus pode lançar mão de instrumentos estranhos para disciplinar o Seu próprio povo (Is 10.5);

d) os homens ímpios e as nações que Deus empregar na execução de Seus julgamentos não escaparão da responsabilidade de suas próprias ações (Is 10.12);

e) a exaltação de si mesmo é o último engano dos corações tolos (Gn 3.5);

NOTAS CAPÍTULO 3

[79] WIERSBE, Warren W. *Comentário bíblico expositivo.* Vol. 4. 2006: p. 509.

[80] PAPE, Dionísio. *Justiça e esperança para hoje.* 1983: p. 82.

[81] WIERSBE, Warren W. *Comentário bíblico expositivo.* Vol. 4. 2006: p. 510.

[82] WHITELAW, T. *The pulpit commentary on Habakkuk.* Vol. 14. 1978: p. 7,8.

[83] COELHO FILHO, Isaltino Gomes. *Habacuque: nosso contemporâneo.* 1990: p. 28.

[84] WOLFENDALE, James. *The preacher's homiletic commentary.* Vol. 20. 1996: p. 488.

[85] COELHO FILHO, Isaltino Gomes. *Habacuque: nosso contemporâneo.* 1990: p. 27.

[86] COELHO FILHO, Isaltino Gomes. *Habacuque: nosso contemporâneo.* 1990: p. 28.

[87] COELHO FILHO, Isaltino Gomes. *Habacuque: nosso contemporâneo.* 1990: p. 28.

[88] KLEINERT, Paul. *Lange's commentary on the Holy Scriptures – Habakkuk.* Vol. 7. Zondervan Publishing House. Grand Rapids, Michigan. 1980: p. 16.

[89] HENRY, Matthew. *Matthew Henry's commentary in one volume.* Zondervan Publishing House. Grand Rapids, Michigan. 1961: p. 1.162.

[90] COELHO FILHO, Isaltino Gomes. *Habacuque: nosso contemporâneo.* 1990: p. 28.

[91] CHAMPLIN, Russell Norman. *O Antigo Testamento interpretado versículo por versículo.* Vol. 5. 2003: p. 3.615.

[92] FEINBERG, Charles L. *Os profetas menores.* 1988: p. 209.

[93] BAKER, David et all. *Obadias, Jonas, Miquéias, Naum, Habacuque e Sofonias.* 2006: p. 332.

[94] CRABTREE, A. R. *Profetas menores.* 1971: p. 240.

[95] BAXTER, J. Sidlow. *Examinai as Escrituras: Ezequiel a Malaquias.* 1995: p. 240.

[96] CHAMPLIN, Russell Norman. *O Antigo Testamento interpretado versículo por versículo.* Vol. 5. 2003: p. 3.615.

[97] Champlin, Russell Norman. *O Antigo Testamento interpretado versículo por versículo.* Vol. 5. 2003: p. 3.615.

[98] Champlin, Russell Norman. *O Antigo Testamento interpretado versículo por versículo.* Vol. 5. 2003: p. 3.615.

[99] Coelho Filho, Isaltino Gomes. *Habacuque: nosso contemporâneo.* 1990: p. 29.

[100] Coelho Filho, Isaltino Gomes. *Habacuque: nosso contemporâneo.* 1990: p. 29,30.

[101] Wiersbe, Warren W. *Comentário bíblico expositivo.* Vol. 4. 2006: p. 510.

[102] Coelho Filho, Isaltino Gomes. *Habacuque: nosso contemporâneo.* 1990: p. 30.

[103] Allen, Clifton. *The Broadman Bible commentary.* Vol. VII. Broadman Press. 1972: p. 255.

[104] Baker, David et all. *Obadias, Jonas, Miquéias, Naum, Habacuque e Sofonias.* 2006: p. 333.

[105] Champlin, Russell Norman. *O Antigo Testamento interpretado versículo por versículo.* Vol. 5. 2003: p. 3.616.

[106] Whitelaw, T. *The pulpit commentary on Habakkuk.* Vol. 14. 1978: p. 9.

## Capítulo 4

# A esperança que nasce do desespero

(Hc 1.12-17)

O TEXTO EM APREÇO nos fala sobre a majestade de Deus (1.12,13), a fragilidade do povo de Judá (1.14,15) e a arrogância dos caldeus (1.16,17).

Isaltino Gomes Coelho Filho diz que as raízes históricas da Babilônia são raízes de violência. No Apocalipse, mais do que um ponto geográfico, a Babilônia designa a oposição humana contra Deus. A Babilônia destruíra muitos povos. Ela edificou suas cidades com sangue. Ela fez da violência um estilo de vida. Até mesmo sua religião fora estruturada em razão da guerra. Seus deuses eram deuses da guerra. Seus símbolos religiosos mostravam aspectos da vida guerreira. A violência era também motivo de orgulho para os caldeus (Dn 4.30).[107]

As cortinas são abertas, e vemos no palco a crise do profeta Habacuque. Outrora, o profeta estava aflito pelo silêncio de Deus; agora, está mais angustiado com a resposta de Deus à sua oração. O drama do profeta não era a realidade da disciplina de Deus a Judá, mas o método de Deus nessa disciplina. J. Sidlow Baxter diz que só o pensamento de Deus usar um povo mais perverso e cruel do que Judá chocava Habacuque, quanto mais Deus usar esse povo amargo para disciplinar o povo da aliança. O profeta não conseguia harmonizar esse fato com sua fé na justiça do governo de Iavé sobre as nações da terra.[108]

Analisaremos três pontos:

Em primeiro lugar, *o conhecimento de Deus é o maior antídoto contra o desespero* (1.12). Habacuque está entrincheirado por problemas internos e por ameaças externas. Ele está esmagado pelos pecados do seu povo e pela invasão da Babilônia. Sua crise foi gerada pelo silêncio de Deus e também pela voz de Deus; pela inação de Deus e também pela intervenção de Deus. A resposta de Deus à oração de Habacuque deixou-o mais alarmado do que o próprio silêncio de Deus diante da calamidade. Nesse beco sem saída, o que lhe trouxe esperança no meio do desespero foi seu conhecimento de Deus. O profeta Daniel diz que o povo que conhece a Deus é forte e ativo (Dn 11.32).

Em segundo lugar, *o desabafo com Deus pode ser uma experiência libertadora* (1.13). Habacuque não rumina a sua dor em silêncio. Ele não amordaça a voz da sua própria consciência. Ele abre as câmaras interiores da sua alma e revela tudo quanto estava nos arquivos do seu pensamento. O desabafo é uma terapia libertadora. Deus chamou Hagar pelo nome e lhe perguntou: "Que tens, Hagar?" (Gn 21.17). O Senhor viu Elias na caverna da depressão e lhe perguntou: "Que fazes aqui, Elias?" (1Rs 19.9). Jesus perguntou a Pedro: "Tu me amas?" (Jo 21.15-17).

Habacuque tem um conflito teológico: harmonizar a santidade de Deus com o uso de gente perversa; harmonizar o amor de Deus com o sofrimento do justo. Essa angústia existencial é exposta, e nesse desabafo desponta o começo da sua cura.

Warren Wiersbe diz que devemos fazer uma clara distinção entre dúvida e incredulidade. Assim como Habacuque, aquele que tem dúvidas dirige suas perguntas a Deus e talvez até discuta com Ele, mas o questionador não abandona a Deus. A incredulidade, porém, é uma forma de rebelião contra Deus, uma recusa em aceitar o que Ele diz e faz.[109] Ainda afirma o mesmo escritor que evitar perguntas difíceis ou se contentar com meias-verdades e respostas superficiais complacentes significa continuar na imaturidade, mas encarar as questões honestamente e discuti-las com o Senhor promove o crescimento na graça e no conhecimento de Cristo (2Pe 3.18).[110]

Em terceiro lugar, *a oração pode ser a maneira mais adequada de buscarmos respostas para a nossa aflição* (1.12,13). A oração é um instrumento glorioso de intimidade com Deus e também de arejamento da nossa alma nos momentos de turbulência. Habacuque foi um profeta intercessor. Ele não só falou da parte de Deus aos homens por meio da pregação, mas, sobretudo, buscou resposta de Deus para os homens por meio da oração.

Quando as coisas à nossa volta parecem sem sentido, quando as dúvidas assaltam a fé, quando as circunstâncias adversas nos enchem o peito de temor, precisamos buscar respostas em Deus por meio da oração. Nossa mente nunca fica tão lúcida e nossa teologia nunca fica tão clara como quando nos curvamos diante de Deus em oração. É de joelhos que enxergamos melhor a soberania de Deus. Um crente de joelhos enxerga mais longe do que um filósofo na ponta dos pés.

Três verdades são destacadas no texto em tela. Vamos examinar essas verdades e tirar delas algumas preciosas lições.

## O Deus de Habacuque (1.12,13)

O conhecimento de Deus nos fortalece e nos ajuda a decifrar os enigmas da História. Quando os teólogos de Westminster tiveram de definir Deus encontraram grande dificuldade. Então, um dos teólogos se pôs a orar e, na oração, fez declarações tão precisas acerca de Deus que suas palavras tornaram-se a definição mais precisa que nós temos na História acerca da pessoa de Deus.

Na oração, mais do que em qualquer momento, nós nos voltamos para Deus e pensamos na Sua majestade e soberania. O que Habacuque disse acerca de Deus em sua oração?

a) Deus é eterno (1.12). Enquanto os deuses da Babilônia eram ídolos feitos pelas mãos humanas, o Deus de Israel é o Deus que existe de eternidade a eternidade. Ele não foi criado; é o Criador. Ele não foi produzido pela arte ou imaginação humana; é quem dirige a História. Martyn Lloyd-Jones diz que nada há mais consolador ou tranqüilizador, quando nos encontramos oprimidos pelos problemas da História, e quando desejamos saber o que deve acontecer no mundo, do que nos lembrar de que o Deus a quem adoramos está fora do fluxo da História. Ele precedeu a História; ele criou a História. Seu trono está acima do mundo e fora do tempo. Ele, o Deus eterno, reina na eternidade.[111]

Porque Deus é eterno, Ele é imutável em Seu propósito e em Sua providência. Tudo pode mudar, mas Ele jamais muda. Sua palavra é eterna; ela jamais passará. Sua aliança é eterna, por isso podemos afirmar com fé: não morreremos! Por mais perverso que seja o inimigo e por mais poder que tenha seus exércitos, não poderão destruir o povo de Deus; apenas ser instrumentos nas mãos de Deus para discipliná-lo. James Wolfendale diz que as nuvens podem esconder a luz, mas não destruir o sol.[112]

Habacuque também descreve Deus como Rocha, Aquele que nunca muda. Os abalos sísmicos da natureza e as terríveis convulsões da História não abalam jamais o trono de Deus. As nações se levantam e caem, mas Deus permanece o mesmo de eternidade a eternidade. É Sua imutabilidade a causa de não sermos consumidos (Ml 3.6).

b) Deus é auto-existente (1.12). A palavra *Senhor,* usada no versículo 12, é Iavé, o Deus auto-existente, que se auto-revelou. Esse Deus se revelou a Moisés no monte Sinai como o "Eu sou o que sou" (Êx 3.14). O nosso Deus é o eterno EU SOU. O nome EU SOU O QUE SOU significa: "Eu sou o Absoluto, o auto-existente".[113] Antes dEle, não houve nenhum outro Deus e depois dEle nenhum outro haverá. Só Ele é Deus. Ele sempre existiu perfeitamente feliz na comunhão da Trindade. Deus não depende, em nenhum sentido, de nada que acontece no mundo, mas existe em Si mesmo. Não só Ele é independente do mundo, como nunca teria necessidade de criá-lo se não o desejasse. A tremenda verdade concernente à Trindade é que uma vida eternamente auto-existente reside na Divindade – Pai, Filho e Espírito Santo.[114]

c) Deus é santo (1.12,13). Deus não é apenas eterno quanto ao tempo, auto-existente quanto ao Seu ser, mas também santo quanto ao Seu caráter. Ele é totalmente puro, isento de pecado. Ele é luz, e não existe nEle treva alguma. Habacuque O descreve como puro de olhos e que não pode contemplar o mal (1.13). Habacuque está seguro não só da existência eterna de Deus, não só de Sua auto-existência, e de Sua independência de tudo e de todos, mas de que Ele é o "Santo", total e absolutamente justo e santo, "um fogo consumidor".[115]

James Wolfendale diz que a santidade de Deus é uma garantia do julgamento do pecado, da libertação do Seu povo e do estabelecimento da justiça e do direito para todos os homens. Seja entre Seu povo ou no meio dos ímpios, Deus jamais deixará o pecado impune.[116] A expulsão dos anjos rebeldes do céu e dos nossos primeiros pais do Éden, o dilúvio, a destruição de Sodoma e Gomorra, o cativeiro de Israel e a tomada de Jerusalém são realidades patentes que nos provam que Deus vai julgar os ímpios. Deus odeia o mal. Ele abomina a iniqüidade, e, no dia do juízo, aqueles que se agarraram aos seus pecados serão banidos para sempre da presença de Deus.

d) Deus é soberano (1.12). A História não está à deriva nem caminha para o caos. Os acontecimentos históricos não são apenas produto do engenho humano ou das ações políticas e militares das grandes e poderosas nações. É Deus quem dirige a História. Ele é quem levanta reis e abate reis, levanta reinos e abate reinos. Foi Deus quem suscitou os caldeus (1.6). Foi Deus quem pôs os caldeus na posição de liderança mundial para executar juízo contra Judá (1.12). As rédeas da História não estão nas mãos das superpotências mundiais, mas nas mãos de Deus. Somente Ele tem poder absoluto. Somente Deus tem poder ilimitado. Ele é a Rocha!

e) Deus é fiel (1.12). Habacuque compreende que o Senhor, o Deus Iavé, não é apenas o Deus auto-existente, mas também o Deus da aliança. Essa aliança firmada com Abraão, renovada com Davi e estabelecida em Cristo jamais será quebrada. Deus prometeu ser o nosso Deus e o Deus dos nossos filhos para sempre. O povo da aliança jamais será destruído. A disciplina não estava a caminho para destruir Judá, mas para trazer sua restauração.

Martyn Lloyd-Jones escreve:

> Embora independente e absoluto, eterno, poderoso, justo e santo, não obstante Deus condescendeu em fazer aliança com os homens. Fez uma aliança com Abraão, à qual o profeta se refere aqui, e renovou esta aliança com Isaque e com Jacó. Renovou-a outra vez com Davi. Foi esta aliança que deu a Israel o direito de voltar-se para Deus e dizer: "Meu Deus, meu Santo". O profeta lembra-se de que Deus disse: "Eu serei o seu Deus e eles serão o meu povo". Esse fato era mais significativo do que qualquer outra coisa. O que vincula Deus ao povo era o conhecimento de que ele era o Deus fiel, que cumpria a aliança. Ele dera a sua Palavra e jamais a quebraria. Pensando na aliança, o profeta pode dizer: "Meu Deus, meu Santo"; e acrescentou: "Não morreremos". O exército caldeu podia fazer o que quisesse, mas nunca exterminaria a Israel, porque Deus lhe havia feito determinadas promessas que jamais quebraria.[117]

f) Deus é pessoal (1.12). Habacuque não se dirige a Deus como se Ele fosse uma divindade cósmica distante e indiferente, mas como seu Deus pessoal. Deus está assentado sobre um alto e sublime trono, mas também habita com o abatido e contrito de espírito (Is 57.15).

A divindade diante de quem Habacuque se prostra não é uma divindade vaga, ou o ser supremo na concepção primitiva dos povos pagãos. Ele é o Deus único, criador, sustentador e redentor. Deus não se compara a outros deuses. Iavé não é o Alá dos muçulmanos nem o Shiva dos hindus. Ele não é o Buda dos budistas nem o Grande Arquiteto do Universo de Platão. O Deus da Bíblia não é apenas um ser supremo criado pela imaginação humana, mas o Deus revelado, o Deus pessoal.

Os ateus dizem que esse Deus não existe. Os agnósticos dizem que ele não pode ser conhecido. Os deístas dizem que Ele não é imanente, e os panteístas dizem que Ele não é transcendente. Mas os servos de Deus podem dizer: "Tu és o meu Deus!"

## As perplexidades de Habacuque (1.13-17)

O texto em apreço é composto de afirmações e interrogações de Habacuque. Nessas interrogações, Habacuque expõe algumas perplexidades, que ora apresentamos:

a) Como conciliar a santidade de Deus com o uso que Ele faz dos perversos (1.13). Habacuque está com uma crise teológica. Ele tem dificuldade de conciliar o ser de Deus com a obra de Deus; a santidade de Deus com a providência de Deus. Como pode Deus, que é todo-poderoso e está no controle de todos os acontecimentos, permitir o mal e ainda continuar sendo santo? Os caldeus não passavam de instrumentos nas mãos divinas; mas como isso poderia ser conciliado com o caráter santo de Deus?

A. R. Crabtree, coloca esse questionamento de Habacuque nas seguintes palavras:

> Como é que o Senhor, tão puro de olhos, pode conservar-se em silêncio, enquanto os poderosos caldeus, malvados e ambiciosos, devoram

> as pequenas nações que, conquanto não sejam moralmente perfeitas, são politicamente inocentes, e mais justas do que os inimigos pagãos que não reconheciam nenhum Deus fora do seu próprio poder?[118]

Como o Deus santo pode aceitar o mal prevalecendo no mundo? Como pode aceitar a injustiça galopante? Como pode tolerar que sua Palavra seja ultrajada por ateus arrogantes? Como pode se calar quando os homens cheios de empáfia se levantam para escarnecer do Seu bendito Filho? Como pode aceitar que Sua igreja seja esmagada pela mão de ferro de déspotas sanguinários?

Ainda hoje, ficamos perplexos com esses fatos medonhos. O século 20 foi o período em que muitos mártires tombaram por causa de sua fé, no impiedoso regime comunista, nas duas brutais e sangrentas guerras mundiais, nos regimes truculentos e ensandecidos de Adolf Hitler e Mao Tsé-tung. Ainda hoje, perguntamos: por que Deus permite a guerra? Por que Deus permite que os fortes tripudiem sobre os fracos, e os maus pisem os piedosos com requinte de crueldade?

Habacuque faz uma afirmação categórica acerca de Deus: "Tu és tão puro de olhos, que não podes ver o mal e a opressão não podes contemplar..." (1.13). Em outras palavras, Habacuque estava dizendo: Deus não pode ver o mal sem odiá-lo. Ele o detesta. Todo o mal que existe no mundo é totalmente repugnante para Deus por causa da Sua pureza. Deus não pode ver o mal com complacência. Deus e o mal são oponentes irreconciliáveis, diz Martyn Lloyd-Jones.[119]

b) Como conciliar o poder de Deus com sua tolerância e silêncio com os agentes da disciplina (1.13). O profeta

Habacuque desce a detalhes acerca da ação dos caldeus contra o seu povo. Nem todos em Judá estavam vivendo na impiedade. Havia pessoas que levavam Deus a sério, e todos sofreriam as conseqüências amargas da invasão babilônica. Os caldeus agiriam perfidamente e destruiriam aqueles que eram mais justos do que eles (1.13).

Milhares de servos de Deus pereceram, nas arenas dos anfiteatros romanos, pisados por touros enfurecidos, devorados por feras e traspassados pela espada dos gladiadores. Milhares de crentes foram amarrados em postes e queimados vivos nas praças, e outros foram jogados nas fogueiras da Inquisição. Multidões sem conta, de servos e servas de Deus, foram empurradas para os becos estreitos da morte nos campos de concentração nazistas e mortos nas câmaras de gás e nos paredões de fuzilamento. Outros tantos foram trucidados com requinte de crueldade no regime comunista ateu. Ainda hoje, mártires selam com seu sangue o testemunho do evangelho. Ficamos espantados ao vermos gente piedosa sendo torturada e morta sem nenhum sinal da intervenção divina. Talvez esperássemos que um anjo descesse do céu e fulminasse o palácio de Nero antes de o apóstolo Paulo ser degolado em Roma. Contudo, a morte dos santos é preciosa para Deus, e eles são bem-aventurados!

c) Como conciliar o amor de Deus com a entrega sem reservas do povo da aliança nas mãos dos caldeus (1.14). Em linguagem figurada, o profeta se queixa de que o seu povo está reduzido à condição dos peixes do mar ou dos répteis da terra, que não têm quem os governe ou que não têm governador sobre eles.[120]

Deus mesmo fez dos judeus pessoas sem amparo e sem liderança. Eles se tornariam como os peixes do mar e como os répteis da terra sem nenhuma chance de se livrarem dos seus pescadores e dos seus caçadores. Deus mesmo os entregou nas mãos dos caldeus (Dn 1.2). Judá jamais seria capaz de sobreviver a um ataque dos ferozes babilônios. Para eles, a vida não tinha valor algum, e os prisioneiros de guerra eram sacrificáveis. As pessoas eram como peixes a serem fisgados ou répteis marinhos a serem capturados em redes varredouras.[121]

Os falsos profetas até tentaram enganar o povo com mentiras, dizendo-lhe que Jerusalém não corria nenhum risco (Jr 6.14; 8.11; 14.13-18). Entretanto, seu débil otimismo logo seria desmascarado. Durante quarenta anos, o profeta Jeremias advertiu o povo de Judá e suplicou que voltasse para Deus, mas ele se recusou a ouvir, e por isso foi entregue nas mãos de seus inimigos.

d) Como conciliar a soberania de Deus com a autodivinização dos caldeus (1.15,16). Quando os homens negam a Deus, eles divinizam a si mesmos e adoram sua própria força e poder.[122] Os caldeus queriam ser iguais a Deus (Is 14.14). O Príncipe de Tiro se exaltou (Ez 28.17), e o anticristo estará se opondo a Deus (2Ts 2.4).

Habacuque está perplexo porque o inimigo não apenas prevalece sobre Judá de forma implacável e inescapável, mas também cultua o seu próprio poder militar e levanta altares para adorar os seus próprios deuses. Habacuque está em crise por ver Deus permitindo o inimigo chegar a tal ponto de glorificar a si mesmo. Charles Feinberg diz que os caldeus se vangloriavam de sua força na guerra. Quão perverso pode ser o homem quando se deleita em adorar a criatura em lugar do Criador, e a dádiva em lugar do Doador.[123]

A. R. Crabtree diz que a referência aos sacrifícios dos caldeus à sua rede e à queima do incenso à sua varredoura talvez signifique o culto que prestavam às armas militares ou aos deuses da guerra, Marduque, Adade e Istar. Era esta idolatria dos pagãos malvados e a sua ruidosa oposição contra o Senhor o que perturbava tão profundamente o profeta Habacuque.[124]

Segundo Warren Wiersbe, os caldeus acreditavam numa miríade de deuses e deusas, sendo Bel o cabeça do panteão. Anu era o deus do céu; Nebo, o deus da sabedoria; e Nergal, o deus do sol. A feitiçaria era uma parte importante de sua religião, que incluía a adoração a Ea, o deus da magia. Seus sacerdotes praticavam adivinhações e usavam agouros.[125]

Além de seus muitos deuses, os babilônios adoravam o seu próprio poder (1.11) e confiavam em sua própria força militar (1.16,17). Eles eram arrogantes e soberbos (2.4). Deus estava enchendo a rede deles de vítimas, e os caldeus estavam esvaziando a rede ao destruir uma nação após outra (1.17).

David Baker diz que as formas específicas dos dois verbos encontrados aqui (oferece sacrifício e queima incenso) são, com freqüência, empregados para designar a adoração falsa e idólatra (1Rs 11.8; 12.32; Sl 106.38; Os 11.2). Todas as vezes que os dois verbos são usados juntos, invariavelmente se referem à adoração pagã numa fórmula quase fixa de condenação (2Rs 12.3; 14.4; 2Cr 28.4; Os 4.13). De modo que, simplesmente pelas palavras que escolheu, Habacuque está condenando a prática babilônica.[126]

e) Como conciliar a providência de Deus com a perseguição implacável do inimigo (1.15-17). Os caldeus estavam prevalecendo sobre os judeus em quatro aspectos:

– Eles estavam usando todos os meios para capturar os judeus (1.15). Os judeus estavam sendo apanhados como peixes, pescados com anzóis e redes de arrastão. Os inimigos eram inescapáveis. Os judeus estavam sendo capturados individual e coletivamente. Charles Feinberg diz que, para os babilônios, a vida humana era muito barata. Eles tratavam os homens como quem trata os peixes do mar, sem defesas nem direitos, e como vermes da terra que não têm governantes para protegê-los.[127] Feinberg ainda afirma que o anzol, a rede e o arrastão representam os exércitos e as armas por meio dos quais o caldeu realizava suas ambições militares.[128] David Baker diz que arrancar cativos de seu próprio ambiente, de sua terra natal, e exilá-los ou transplantá-los em uma região estranha, era prática costumeira entre os assírios e babilônios (2Rs 17.5,6; 24.12-16; 25.11,12). Essa separação da própria terra natal apagava as chamas de rebelião que poderiam ainda estar acesas, visto ser improvável que alguém lutasse pela libertação de um país que não fosse o seu.[129]

– Eles estavam saqueando as riquezas dos judeus (1.16b). A Babilônia estava acumulando dentro dos seus palácios as riquezas espoliadas de outros povos. Não tinha respeito pela vida nem pela propriedade privada. Matava e pilhava sem piedade os povos. Alegrava-se com a desgraça daqueles a quem dominava. Três dos cinco "ais" mencionados pelo profeta Habacuque têm relação com a riqueza mal adquirida: com o acúmulo do que não lhes pertencia (2.6), com o ajuntar em sua casa bens mal adquiridos (2.9) e edificar a cidade com sangue (1.12).

– Eles estavam se alegrando com a desventura dos judeus (1.15b). Os caldeus riam da desgraça dos outros. Eles se alegravam e festejavam quando entravam nas cidades e arrastavam os povos como peixes numa rede varredoura. Eles agiam não apenas impiedosamente, mas também com requinte de crueldade. A destruição dos judeus era a alegria deles.

– Eles estavam destruindo sem piedade os judeus (1.17). Os judeus estavam sendo devorados pelos caldeus perversos (1.13b). Eles estavam sendo fisgados com anzóis e arrastados para a morte como peixes em redes varredouras (1.15). A todos quantos os caldeus apanhavam nessas redes, matavam impiedosamente (1.17).

Dionísio Pape diz que a angustiante tensão entre a fé no Deus de amor e a realidade da situação política de injustiça berrante e de violência imerecida não são fenômeno só do período de Habacuque. Constituem um problema básico de todos os séculos. No século 20, desde o fim da Segunda Guerra Mundial, mais de um bilhão de almas tiveram de submeter a cerviz ao jugo comunista ateu. Ainda hoje, milhões de almas piedosas, crentes no Deus soberano e bondoso, respiram com Habacuque: "Por quê?".[130]

### A consolação de Habacuque (1.12,13)

Habacuque encontra alívio para a sua dor e resposta para as suas angústias em vários pontos importantes:

a) O consolo é encontrado na meditação acerca da pessoa de Deus (1.12,13). A teologia é o melhor caminho para resolvermos nossas profundas angústias existenciais. Quando os dramas da História parecerem sem sentido para nós, devemos parar para meditar sobre quem é Deus. Devemos olhar para o Seu ser, Seus decretos e Suas obras. Quando oramos, as coisas se tornam mais claras para nós. Se Deus é eterno, santo, fiel, imutável e soberano, então a História não está à deriva. Então o ímpio não prevalecerá. Então o povo de Deus não será destruído.

Charles Feinberg diz que Habacuque sabe que a natureza do Deus cumpridor da aliança não permitirá que Seu povo seja exterminado. A base de sua confiança e esperança é dupla: (1) Desde tempos antigos, Ele tem sido o Deus de Israel; e (2) ele é tão santo que deve punir a impiedade, seja a de sua própria nação, seja a do inimigo.[131] Nessa mesma linha de pensamento, David Baker diz que foi por causa de Deus e do Seu caráter que Habacuque pôde dizer: "Não morreremos", pois o contrário significaria uma quebra da aliança.[132]

b) O consolo é encontrado na meditação acerca da obra de Deus (1.12,13). Deus é quem está com o leme da História nas mãos. Ele dirige o destino dos povos. O levantamento da Babilônia no cenário político mundial foi obra de Deus. A disciplina de Judá por meio dos caldeus também é obra de Deus. Não é a megalomaníaca Babilônia que está no controle da situação, mas Deus. O destino de Judá não é a destruição, como pensavam os caldeus. Deus está apenas disciplinando o Seu povo, e não o destruindo.

c) O consolo é encontrado no conhecimento dos propósitos soberanos de Deus (1.12,13). Habacuque tem plena convicção de que o propósito de Deus em relação ao povo de Judá não é a destruição, mas a disciplina. O projeto de Deus não é destruir o povo da aliança, mas restaurá-lo. O fim da linha é salvação, e não condenação; é cura, e não morte. Deus nos disciplina porque nos ama. A disciplina é um ato responsável de amor. Ela sempre visa à restauração.

Habacuque percebeu que os caldeus foram levantados para a correção de Judá, e não para destruir Judá. O povo de Deus é indestrutível. Ninguém pode arrancá-lo das mãos do Senhor (Jo 10.28). Nenhuma circunstância pode separá-lo do amor de Deus (Rm 8.38,39). Deus está trabalhando por ele (Fp 1.6) e Ele jamais desiste do Seu povo. Michelangelo viu no rude bloco de mármore a forma de um anjo e, com seu cinzel, esculpiu na pedra sua imagem e beleza. Assim

Deus faz com você. Ele trabalha em você não para destruí-lo, mas para transformá-lo à imagem do Seu Filho (Rm 8.29).[133]

d) O consolo é encontrado quando temos a garantia de que Deus nos destinou para a vida, e não para a morte (1.12). Habacuque, num rasgo de fé, afirmou com sólida certeza: "Não morreremos" (1.12). A disciplina não é um castigo para a morte, mas uma intervenção para a vida. O látego de Deus dói, mas traz cura, libertação e salvação.

Não eram os caldeus que estavam no controle, mas Deus. Não era a vontade da Babilônia que estava sendo feita, mas a de Deus. Não era o propósito opressor dos caldeus que estava em curso, mas o de Deus. Havia um plano maior de Deus em movimento, e a Babilônia estava sendo apenas um instrumento para o cumprimento desse projeto divino.

e) O consolo é encontrado quando levamos nossa causa a Deus e somos informados de que o ímpio não prevalecerá para sempre (1.17—2.1-5). Precisamos levar nossas causas a Deus. Precisamos deixar tudo no altar. George Robinson diz que Habacuque só encontrou solução para o seu enigma quando subiu na torre de vigia como um atalaia.

Quando você olha para a vida na perspectiva de Deus, então, ainda que o mundo ao seu redor esteja em ruínas, você pode permanecer firme na fé, crendo na providência divina.[134] O rei Ezequias apresentou a Deus a ameaça de Senaqueribe, e Deus o livrou desse terrível império. Habacuque, agora, leva a sua causa a Deus, e recebe uma resposta de que Deus está agindo para a restauração do Seu povo e para a condenação final dos ímpios (2.1-4).

A dor que pulsava no peito de Habacuque tinha relação com a marcha irresistível dos caldeus. Será que esse povo amargo continuaria matando impiedosamente, sem uma intervenção de Deus? Não! A resposta de Deus ao clamor de Habacuque aponta não para o prevalecimento do ímpio, não para o triunfo do mal, não para a vitória da opressão, mas para a derrota radical do ímpio e a falência de seus projetos.

Jerônimo Pott diz que este texto tem três lições de aplicação universal.[135]

– O Deus santo, justo e puro castiga o pecado. Seja individual, seja nacional, seja internacional. O povo de Deus deve esperar ser castigado se não andar de conformidade com a vontade divina. Assim diz a Palavra de Deus: "Se os seus filhos desprezarem a minha lei e não andarem nos meus juízos, se violarem os meus preceitos e não guardarem os meus mandamentos, então, punirei com vara as suas transgressões e com açoites, a sua iniqüidade" (Sl 89.30-32).

– Somente Deus tem resposta para os nossos problemas e as nossas perguntas. É preciso considerar os atos divinos na História à luz do vasto plano de Deus. Ainda assim, para nós ficam muitíssimos mistérios que só a eternidade revelará.

– Temos a impressão de que Deus tarda muito em realizar Seus propósitos, mas, mesmo assim, Ele continua no controle. Muitas vezes, a igreja pergunta: Até quando Senhor? Deus, porém, faz todas as coisas conforme o conselho da Sua vontade, no Seu tempo, da Sua maneira, para o bem da Sua igreja e para o louvor da Sua própria glória. Deus jamais fica em apuros. Ele jamais é surpreendido. Precisamos aprender a confiar plenamente em Deus e a descansar nEle.

NOTAS CAPÍTULO 4

[107] COELHO FILHO, Isaltino Gomes. *Habacuque: nosso contemporâneo.* 1990: p. 53,54.

[108] BAXTER, J. Sidlow. *Examinai as Escrituras.* 1995: p. 240.

[109] WIERSBE, Warren W. *Comentário bíblico expositivo.* Vol. 4. 2006: p. 510.

[110] WIERSBE, Warren W. *Comentário bíblico expositivo.* Vol. 4. 2006: p. 511.

[111] LLOYD-JONES, D. Martin. *Do temor à fé.* 1995: p. 30.

[112] WOLFENDALE, James. *The preacher's homiletic commentary.* Vol. 20. 1996: p. 492.

[113] LLOYD-JONES, D. Martin. *Do temor à fé.* 1995: p. 30.

[114] LLOYD-JONES, D. Martin. *Do temor à fé.* 1995: p. 31.

[115] LLOYD-JONES, D. Martin. *Do temor à fé.* 1995: p. 31.

[116] WOLFENDALE, James. *The preacher's homiletic commentary.* Vol. 20. 1996: p. 493.

[117] LLOYD-JONES, D. Martyn. *Do temor à fé.* 1995: p. 32,33.

[118] CRABTREE, A. R. *Profetas menores.* 1971: p. 243.

[119] LLOYD-JONES, D. Martyn. *Do temor à fé.* 1995: p. 34.

[120] CRABTREE, A. R. *Profetas menores.* 1971: p. 243.

[121] WIERSBE, Warren W. *Comentário bíblico expositivo.* Vol. 4. 2006: p. 511.

[122] WOLFENDALE, James. *The preacher's homiletic commentary.* Vol. 20. 1996: p. 492.

[123] FEINBERG, Charles L. *Os profetas menores.* 1988: p. 212.

[124] CRABTREE, A. R. *Profetas menores.* 1971: p. 245.

[125] WIERSBE, Warren W. *Comentário bíblico expositivo.* Vol. 4. 2006: p. 511.

[126] BAKER, David W. et all. *Obadias, Jonas, Miquéias, Naum, Habacuque e Sofonias.* 2006: p. 338.

[127] FEINBERG, Charles L. *Os profetas menores.* 1988: p. 211,212.

[128] FEINBERG, Charles L. *Os profetas menores.* 1988: p. 212.

[129] BAKER, David W. et all. *Obadias, Jonas, Miquéias, Naum, Habacuque e Sofonias.* 2006: p. 337.

[130] PAPE, Dionísio. *Justiça e esperança para hoje.* 1983: p. 84.

[131] Feinberg, Charles L. *Os profetas menores.* 1988: p. 211.

[132] Baker, David W. et all. *Obadias, Jonas, Miquéias, Naum, Habacuque e Sofonias.* 2006: p. 335.

[133] Wolfendale, James. *The preacher's homiletic commentary.* Vol. 20. 1996: p. 494.

[134] Robinson, George. *Los doce profetas menores.* 1983: p. 103.

[135] Pott, Jerónimo. *El mensaje de los profetas menores.* TELL. Grand Rapids, Michigan. 1977: p. 70,71.

Capítulo 5

# Quando o céu acalma a terra

(Hc 2.1-5)

James Wolfendale sintetiza este capítulo, dizendo que temos nestes cinco versículos três verdades pivotais: um servo que espera a resposta de Deus (2.1), uma visão revelada por Deus (2.2,3), um grande contraste entre o soberbo e o justo (2.4,5). Habacuque fala do definido propósito do profeta, da apropriada atitude do profeta enquanto aguarda a resposta, e da graciosa resposta ao profeta. Quanto à visão, ele mostra que ela deve ser permanentemente relembrada, universalmente entendida e claramente divulgada. Sobre o contraste entre o soberbo e o justo, ele diz que o soberbo é orgulhoso em seu coração, pervertido em sua mente e insaciável em sua alma, enquanto o justo confia na Palavra, vive pela fé na Palavra, e é liberto da morte pela sua fé na Palavra.[136]

Vamos considerar três pontos:

Em primeiro lugar, *pela oração podemos apresentar a Deus nossas mais profundas angústias.* A oração do profeta Habacuque não é apenas um exercício devocional, mas uma queixa, um transbordar de suas mais profundas angústias existenciais. Ele não esconde nada, não camufla nada. Ele abre e escancara sua alma para Deus e espreme todo o pus da ferida. Podemos abrir as cortinas da alma e apresentar a Deus toda a carranca da nossa dor e da nossa queixa.

O povo de Deus vive encurralado por situações adversas e imerso em dramas difíceis de explicar. Dionísio Pape afirma que em qualquer país se pode achar injustiça, opressão e exploração. Os cristãos conscientizados clamam ao Senhor da justiça que intervenha logo. E quantas vezes ficam perplexos, frustrados e, finalmente, desanimados, pois o Deus da Bíblia não lhes dá ouvidos: não destrói o iníquo, não tira o tirano do poder, não faz parar miraculosamente os tanques invasores. E neste momento em que as dúvidas invadem a alma, e assaltam a mente, quando o homem piedoso é tentado a abandonar a fé, vem como trovão a mesma resposta dada a Habacuque, séculos antes de Cristo: "O justo viverá pela sua fé" (2.4).[137]

Em segundo lugar, *pela oração podemos alcançar o mais profundo discernimento dos propósitos de Deus.* Habacuque ora e espera. Ele clama e vigia. Fala ao céu e aguarda de lá uma resposta. Tem perplexidades profundas e quer discernimento cristalino vindo da parte de Deus. O que ele não consegue entender pelas lucubrações da sua mente, alcança em resposta à sua oração. Pela oração, os olhos da nossa alma são abertos. Nunca nos tornamos tão lúcidos como quando nos colocamos de joelhos diante do Pai. Deus deu resposta às grandes queixas de Habacuque. Quanto ao seu povo, Deus o disciplinaria pelas mãos dos caldeus. Quanto à Babilônia, Deus a julgaria pelo seu orgulho.

Em terceiro lugar, *pela oração podemos ter largos lampejos quanto ao futuro.* Em resposta à sua oração, Habacuque recebe uma visão de Deus acerca da condenação inexorável do ímpio e da salvação miraculosa do justo. Habacuque chegou a pensar que Deus estivesse passivo e inativo diante da violência entre o Seu povo e contra o Seu povo, mas Deus estava trabalhando para julgar os ímpios e salvar os justos. Quando Deus parece estar inativo, Ele está trabalhando; quando Deus parece silencioso, Ele está nos preparando uma resposta eloqüente que acalma os vendavais da nossa alma.

O texto em pauta, Habacuque 2.1-5, descortina diante de nós algumas lições benditas e oportunas:

## Uma ansiosa expectativa (2.1)

Nos versículos anteriores, Habacuque havia colocado diante de Deus sua causa e cobrado dEle uma posição compatível com Seu caráter santo e Seus atributos majestosos. Agora, o profeta conversa consigo mesmo e encoraja a si mesmo para esperar a resposta de Deus. Ele resolve se colocar no seu observatório e esperar pela revelação que Deus haveria de dar à sua questão.[138] Ele não apenas ora, como também aguarda uma resposta. Essa expectativa de Habacuque enseja-nos algumas lições:

a) Devemos subir à presença de Deus e colocar nossa causa em Suas mãos (2.1). Habacuque deixa os vales da sua dor, das suas queixas, das suas perplexidades e sobe à sua torre de vigia. Ele se aparta do ambiente conturbado e turbulento e busca um lugar de sossego para a sua alma a fim de lançar perante o Senhor a sua súplica. Tudo estava em ruínas ao redor do profeta. A Babilônia marchava com seus exércitos para destruir a cidade de Jerusalém. Não havia nenhuma possibilidade de resistência aos caldeus, muito menos chance de vitória sobre esses implacáveis conquistadores. Existia apenas Um para quem ele poderia se voltar. Foi então que orou.[139]

J. Sidlow Baxter diz que Habacuque declarou sua dúvida sincera a Deus, não a um "confidente" humano. Se fizéssemos isso, em vez de desabafar nossas dúvidas em ouvidos humanos, seríamos poupados de muitas inquietações![140]

Martyn Lloyd-Jones diz que o princípio ensinado por Habacuque é que devemos nos desligar do problema e descansar em Deus. Habacuque diz: "Vou sair deste vale de depressão; vou para a torre de vigia; vou galgar as alturas; vou olhar para Deus e para Ele somente". Habacuque não ficou prisioneiro do problema, preso no cipoal de seu desespero. Ele apresentou sua causa a Deus e ficou esperando. Temos de nos desembaraçar deliberadamente dos problemas que nos encurralam, puxar-nos para fora deles e tomar a posição de olharmos somente para o Senhor. As palavras do profeta, ao retratar uma torre erigida num local elevado de onde se tem uma ampla visão e uma excelente perspectiva, sugerem esta interpretação. O vigia está muito acima das planícies e das multidões, ocupando uma posição vantajosa, da qual ele pode ver tudo o que acontece.[141]

Warren Wiersbe diz que Habacuque viu-se como um vigia nos muros de Jerusalém esperando uma mensagem de Deus que pudesse transmitir ao povo. Na Antiguidade, os vigias ou atalaias eram responsáveis por alertar a cidade de qualquer perigo que se aproximasse; e, se não fossem fiéis, o sangue do povo que morresse ficaria nas mãos deles (Ez 3.17-21; 33.1-3). A imagem do vigia traz uma lição espiritual para nós. Como povo de Deus, devemos saber que o perigo se aproxima, e é nossa responsabilidade alertar as pessoas a "fugir da ira vindoura" (Mt 3.7).[142]

Precisamos também ter a nossa torre de vigia. Precisamos ter o nosso lugar secreto de oração. Esse local pode ser tanto uma região geográfica, como nosso quarto, quanto uma disposição íntima do nosso coração de buscar a presença do Altíssimo em todos os momentos e circunstâncias. A torre de vigia do profeta Daniel era o seu quarto. A torre de vigia de Paulo, muitas vezes, foi sua cela de prisão. Deus está em toda parte. Ele é Espírito, e devemos buscá-Lo em todo lugar.

Charles Feinberg, por sua vez, entende que a idéia do texto não é a de que Habacuque tenha ido a uma torre de vigia, mas que ele assumiu tal atitude de coração, aquela atitude de expectativa e de vigilância. Diz ainda o referido autor que a maioria dos estudiosos defende o sentido espiritual da preparação interior, uma vez que os profetas são comparados a vigias (Is 21.8,11; Jr 6.17; Ez 3.17; 33.2,3).[143]

b) Devemos aguardar uma resposta específica de Deus ao nosso clamor (2.1). Deus não apenas ouve nossas orações; ele também atende a elas. Os céus podem ficar em silêncio por um tempo, mas nunca sem deferir nossos rogos. J. Sidlow Baxter diz que Deus não permanece em silêncio para o homem que espera.[144]

Habacuque não é apenas um intercessor; ele é como um guarda no alto de uma torre. Tem olhos abertos para observar o cenário e perceber os acontecimentos como uma resposta do Eterno. A tarefa do vigia militar é manter o olho na paisagem que está à sua frente, a fim de observar o mais leve indício de movimento por parte do inimigo. Habacuque está procurando a resposta. Tantas vezes falhamos porque oramos a Deus e depois nos esquecemos. Se oramos, devemos esperar pelas respostas. Precisamos, depois de orar, continuar confiando em Deus e aguardar ansiosamente pela sua resposta. Precisamos nos colocar na torre de vigia e esperar que Ele venha ao nosso encontro trazendo resposta ao nosso clamor e solução para as nossas queixas.[145]

Habacuque não apenas ora; ele espera uma resposta. Suas orações são específicas, e ele aguarda uma resposta específica. Ele não apenas fala com Deus, mas também espera ouvir a voz de Deus. Oração não é um monólogo, mas um diálogo. Quem fala, precisa ter os ouvidos atentos para ouvir. Dionísio Pape diz que oração não é apenas falar. É escutar também. O silêncio reverente faz parte essencial da oração. "Aquietai-vos, e sabei que eu sou Deus" (Sl 46.10).[146]

Martyn Lloyd-Jones diz que desonramos a Deus se não procedemos dessa forma. Se eu creio que Deus é meu Pai, e que os próprios cabelos de minha cabeça estão todos contados, e que Deus está muito mais interessado em meu bem-estar do que eu próprio; e se creio que Deus está muito mais interessado do que eu na honra de Seu grande e santo nome, então certamente desonro a Deus se não espero uma resposta à minha oração. Nada revela tanto o caráter de nossa fé quanto o que faremos depois de havermos orado. Os homens de fé não somente oram, mas esperam respostas às suas orações. A esperança da resposta é o teste da nossa fé.[147]

c) Devemos ter liberdade de abrir o nosso coração para Deus (2.1). A oração de Habacuque era uma queixa, um lamento, um grito de dor. Ele questiona a ação perversa dos caldeus contra Judá e alça ao céu suas perguntas perturbadoras. Ele não consegue conciliar o caráter santo de Deus com o uso que o Senhor está fazendo dessa nação amarga e violenta. Ele não consegue aliançar a soberania de Deus com o prevalecimento do mal no mundo. Então, ele abre as câmaras de horror da sua alma e apresenta a Deus toda a sua amarga queixa.

Você também tem liberdade de abrir o coração para Deus. Ele se agrada quando Seus filhos lançam suas ansiedades aos Seus pés. É aos pés do Salvador que devemos chorar. É no altar que devemos derramar nossas lágrimas. É diante do trono da graça que encontramos socorro na hora da aflição.

## Uma gloriosa visão (2.2,3)

Essa visão tem algumas características, que vamos considerar:

a) É uma visão recebida (2.2). A visão vem a Habacuque como resposta à sua oração. Ele não gerou nem concebeu essa visão nos refolhos da sua alma nem na subjetividade do seu coração. Essa visão veio do céu, veio de Deus. Ela foi revelada ao profeta. Hoje, muitos pregadores trazem ao povo visões subjetivas, engendradas no sacrário do seu próprio coração enganoso, e fazem errar o povo de Deus, furtando-lhes a Palavra. Não há mais visões forâneas às Escrituras. Como diz Billy Graham, o conhecido evangelista, a Bíblia tem uma capa ulterior. A visão dada a Habacuque deveria ser registrada de modo permanente, claro e também público.[148] Nós temos essa visão por meio das Escrituras Sagradas. Valorizemo-la!

b) É uma visão para ser perpetuada (2.2). Deus manda Habacuque escrever a visão e gravá-la sobre tábuas. Deus estava trazendo uma revelação permanente. A visão deveria ser bem legível e acessível a todos. Essas tábuas deviam ser tijolos finos de ardósia, muito comuns na Babilônia.[149] Essa visão não era destinada apenas ao profeta, mas também às gerações futuras. Era uma mensagem universal que todos deveriam conhecê-la. Essa visão deveria ser perpetuada ao longo dos séculos como verdade gloriosa de Deus. Isaltino Gomes Coelho Filho diz que a ordem para escrever a visão designa o seu valor.[150]

Que bênção termos hoje a Palavra escrita. Temo-la porque Deus no-la revelou. Ela não é fruto da cogitação humana nem das lucubrações das mentes mais iluminadas. Só conhecemos Deus e Seu plano redentor porque Ele nos transmitiu Sua Palavra e ordenou que ela fosse registrada.

c) É uma visão para ser divulgada (2.2). Essa visão deveria ser lida pelos transeuntes. Deveria estar disponível e com acesso facilitado até para aqueles que passassem correndo. Essa visão deveria estar nos *outdoors* de Jerusalém, ao longo de todas as ruas, avenidas e estradas da vida. Habacuque deveria tornar-se agora o publicitário do céu, o marqueteiro de Deus, o propagandista do céu.

Dionísio Pape diz que Habacuque é o pioneiro da publicidade bíblica. Para fins de publicidade, Deus mandou escrever manchetes em tábuas enormes, tão grandes que "a possa ler até quem passa correndo". Esse primeiro cartaz evangelístico do mundo serve ainda hoje como estímulo para nós no século da publicidade. Deus quer que todos os homens saibam que Ele os ama. Deus tem falado muitas vezes e de muitas maneiras (Hb 1.1). No tempo de Habacuque, Deus falou pelos meios publicitários do grande cartaz num lugar público.[151] Hoje, devemos usar todos os recursos mais rápidos, mais amplos e mais eficazes, para que mais pessoas possam receber a mensagem divina. Não podemos prescindir da página impressa, dos recursos da tecnologia eletrônica. Precisamos pregar a Palavra por meio da televisão, do rádio, da internet, da literatura. A mensagem que recebemos é a mais importante e urgente do mundo. Proclamemo-la a todos os povos!

d) É uma visão para ser aguardada (2.3). O profeta ouve de Deus o que segue: "Porque a visão ainda está para cumprir-se no tempo determinado, mas se apressa para o fim..." (2.3). Essa visão apontava para o futuro. Ela descortinava o glorioso propósito de Deus de salvar o homem mediante a fé, e não pelos seus pretensos méritos. David Baker diz que o propósito de Deus está se revelando, em seqüência e em ordem, no curso dos acontecimentos históricos. A História não é cíclica, não é uma constante recorrência de acontecimentos numa repetição fútil; antes, é linear. Está se encaminhando rumo ao alvo, que é o dia do Senhor e o estabelecimento do Reino de Deus.[152]

Isaltino Gomes Coelho Filho diz que "o tempo determinado", além de indicar a garantia de sua concretização, é também escatológico, não num sentido da segunda vinda de Cristo, mas no sentido de um evento histórico marcante na redenção do povo de Deus. Estando registrada por escrito, a profecia tem seu cumprimento assegurado. Ela está documentada. Deus já assinalou o que vai fazer. Quando? Só Ele sabe. Como a Igreja precisa confiar em que Deus tem tudo sob controle e que no tempo determinado toma as providências cabíveis! Ele sabe o que fazer. Ele não se apavora nem se precipita.[153] Nessa mesma linha de pensamento, Charles Feinberg diz que a demora está apenas no coração do homem, pois, da parte de Deus, Ele está elaborando os pormenores de acordo com o Seu próprio plano. É preciso ter paciência. Não podemos apressar o propósito de Deus nem retardá-lo. Ele se cumpre na hora indicada.[154]

Um dos grandes equívocos cometidos por alguns líderes religiosos é tentar controlar a agenda de Deus, marcando datas de Suas intervenções. Há pessoas até bem-intencionadas, mas pouco lúcidas, que marcaram e ainda marcam a vinda de Cristo, causando, assim, grandes males ao Reino de Deus. Ninguém sabe o tempo exato da intervenção de Deus. Marcar datas ou estipular prazos é laborar em erro. Deus intervém no tempo certo. No dia 15 de maio de 2007, o jornal *A Tribuna*, de Vitória, Espírito Santo, publicou uma matéria relatando a posição de um pastor, na cidade de Vitória, que induz os membros da sua igreja a venderem suas propriedades e até se separarem do cônjuge e se mudarem para um condomínio que ele está construindo, com esse dinheiro, no terreno da igreja, a fim de esperarem juntos a iminente volta de Jesus. Isso está em total desacordo com o ensino das Escrituras.

e) É uma visão que jamais poderá ser frustrada (2.3b). Deus ainda fala ao profeta: "[...] e não falhará; se tardar, espera-o, porque, certamente, virá, não tardará" (2.3b). O que Deus faz é perfeito. O que Deus diz se cumpre. Ninguém pode frustrar os desígnios de Deus nem jamais anular Seus gloriosos planos. A visão não enganará nem desapontará, mas por certo acontecerá.

### Um grande contraste (2.4,5)

O texto de Habacuque 2.4 tornou-se a senha ou lema da cristandade. Ele é a chave de todo o livro de Habacuque e o tema central de todas as Escrituras.[155] Com discernimento, o Talmude declara que aqui estão resumidos todos os 613 preceitos dados por Deus a Moisés no Sinai.[156]

Aqui vemos o contraste entre pessoas de fé e pessoas que, em sua arrogância, confiam em si mesmas. Martyn Lloyd-Jones diz que há somente duas atitudes para a vida neste mundo: a da fé e a da incredulidade. Ou vemos nossa vida mediante a crença que temos em Deus, e as conclusões que daí deduzimos, ou nossa perspectiva se baseia numa rejeição de Deus e das negações correspondentes. Podemos afastar-nos do caminho da fé em Deus, ou viver pela fé em Deus. Conforme o homem crê, assim ele é. A crença da pessoa determina seu procedimento.[157] O justo viverá pela fé, enquanto o ímpio vive confiante em si mesmo.

J. Sidlow Baxter diz que na expressão "o justo viverá pela sua fé" as palavras vão além do exterior para o interior, além do simplesmente físico para o espiritual, além do presente para o futuro, além do que é intermediário e episódico para o final e eterno.[158] Vamos considerar esse grande contraste entre o justo e o ímpio.

a) Vejamos o caráter e a conduta do ímpio (2.4,5). O ímpio aqui representa os caldeus arrogantes. Eles são descritos por Habacuque de três formas diferentes:

– sua relação com Deus estava errada. Deus diz ao profeta: "Eis o soberbo!" (2.4a). A soberba é uma conspiração contra Deus. A soberba é uma altivez que desafia a Deus. A Bíblia diz que Deus resiste, ou seja, declara guerra contra o soberbo (1Pe 5.5). Os caldeus adoravam a si mesmos. Eles se prostravam diante do seu próprio poder, adoravam suas próprias armas de guerra e se vangloriavam de sua própria força. Eles desprezavam o Deus vivo e cultuavam seus ídolos. A soberba deles revelava que a sua relação com Deus estava errada.

Os caldeus estavam inchados de orgulho pela sua força, pelo seu poderio militar, pela sua capacidade de guerrear, vencer e escravizar, diz Isaltino Gomes Coelho Filho.[159]

Os caldeus que Deus suscitara para disciplinar Judá seriam completamente extirpados e destruídos. A grandeza dos caldeus duraria pouco tempo. Fora Deus quem, para um propósito especial, os suscitara; mas eles receberam a glória e se enfatuaram como sendo de seu próprio poder. Então, Deus suscitou o Império Medo-Persa, que destruiu por completo os caldeus.[160] O relato do colapso irremediável da Babilônia está muito bem descrito em Isaías 14.3-23. O juízo de Deus sobre o orgulhoso caldeu é duro, conforme relato do profeta Isaías.

> Babilônia, a jóia dos reinos, glória e orgulho dos caldeus, será como Sodoma e Gomorra, quando Deus as transtornou. Nunca jamais será habitada, ninguém morará nela de geração em geração; o arábio não armará ali a sua tenda; nem tampouco os pastores farão ali deitar os seus rebanhos.[161]

Essa é a situação da maioria das pessoas da sociedade de hoje. O apóstolo João nos advertiu sobre "a soberba da vida" (1Jo 2.15-17), que pertence ao sistema deste mundo em oposição a Deus e desprovido de Deus;

– sua relação com eles mesmos estava errada. O ímpio é um ser em conflito. Há uma esquizofrenia existencial enfiada em seu ser. Deus ainda diz ao profeta: "Sua alma não é reta nele" (2.4b). Os apetites do seu ser interior são depravados e pecaminosos. O ímpio se deleita com aquilo que Deus abomina. Warren Wiersbe diz que, se não fosse por esses apetites mais baixos que as pessoas anseiam por satisfazer, as "indústrias do pecado" jamais prosperariam.[162]

A alma deles não era reta. A alma é o nosso ser íntimo, indevassável e impenetrável. Podemos enganar os outros, mas não podemos enganar a nós mesmos. Podemos racionalizar para os outros, mas não podemos trapacear nossa própria consciência. Os caldeus viviam "esquizofrenizados" por uma alma sinuosa, escorregadia e trevosa. Suas motivações estavam erradas. Eles pecaram contra Deus e agora pecam contra si mesmos. Estão divididos dentro deles mesmos. São incoerentes e inconsistentes com eles mesmos;

– sua relação com o próximo estava errada. Deus diz a Habacuque: "Assim como o vinho é enganoso, tampouco permanece o arrogante, cuja gananciosa boca se escancara como o sepulcro e é como a morte, que não se farta; ele ajunta para si todas as nações e congrega todos os povos" (2.5). Dois fatos nos chamam a atenção nessa relação errada dos caldeus com os outros povos:

1) Eles eram dominados por uma ganância insaciável (2.5). Deus diz ao profeta que os caldeus eram insaciáveis como o sepulcro e a morte. Eles estavam sempre insatisfeitos e, por isso, marchavam pelas nações incendiando cidades, conquistando terras, matando homens e pilhando seus bens. Eles não tinham limites. Eram arrogantes e implacáveis. Ajuntavam para si todas as nações e congregavam todos os povos.

2) Eles estavam bêbados pelo próprio sucesso (2.5). Como o vinho é enganoso, eles estavam embriagados pela luxúria, pelo prazer e pelas suas conquistas. Nabucodonosor expressou esse megalomaníaco orgulho, quando disse: "Não é esta a grande Babilônia que eu edifiquei para a casa real, com o meu grandioso poder e para a glória da minha majestade?" (Dn 4.30). Os caldeus estavam não só bêbados de orgulho, mas também embriagados de vinho. Escritores

antigos confirmam que os babilônios eram muito dados a beber vinho. Esse orgulhoso império caiu numa noite de bebedeira e orgia (Dn 5.1-31). Que flagelo é a embriaguez para qualquer pessoa!

b) Vejamos a conduta e o caráter do justo (2.4). O justo está em aberto contraste com o soberbo. O soberbo confia em si; o justo coloca sua confiança em Deus. O soberbo espera na sua força; o justo vive pela fé. O soberbo está destinado à morte; o justo é liberto dela pela fé. A grande e poderosa Babilônia esmagaria o pequeno Judá, mas Judá permaneceria para sempre, e Babilônia seria riscada do mapa.

Isaltino Gomes Coelho Filho diz que "justo" em Habacuque não é um indivíduo, como Paulo emprega em Romanos, mas Judá, o Reino do Sul. Este é pecador. Mas Judá é o pecador que se arrependerá dos seus pecados e não confiará nos seus méritos, mas apenas em Deus. Neste sentido, Babilônia tipifica o pecador incrédulo que confia em si, insiste em viver nos seus pecados e acaba morrendo neles, enquanto Judá tipifica o pecador que se arrepende e crê, e por isso viverá.[163]

Destacamos alguns pontos para a nossa melhor compreensão acerca desse magno assunto:

– o justo é aquele que confia na Palavra (2.4). O soberbo rejeita a revelação de Deus, enquanto o justo agarra-se a ela como sua âncora nos mares encapelados da vida. O soberbo está escorado no roto bordão da autoconfiança, enquanto o justo coloca sua confiança exclusivamente na Palavra de Deus. Enquanto o soberbo escarnece da visão dada por Deus, o justo vê nela a fonte da sua salvação. O que Deus oferecia a Judá era um exemplo daquilo que Cristo faria em relação ao pecador. Não é pela confiança em si mesmo que o homem alcança a salvação. Ao contrário, alcança-a quando deixa de confiar no seu próprio mérito e, à semelhança de Judá, confia na Palavra e se entrega à graça de Deus.[164]

Viver pela fé significa crer na Palavra de Deus e ser-lhe obediente, independentemente de como nos sentimos, do que vemos ou de quais possam ser as conseqüências. Alguém disse muito bem que ter fé não é crer apesar das evidências, mas sim obedecer apesar das conseqüências, descansando na fidelidade de Deus.[165]

Isaltino Gomes Coelho Filho alerta para o fato de que, em algumas ocasiões, a igreja tem trocado a fé pela eficiência duvidosa da moderna maquinaria administrativa e mercadológica. Sistemas complexos são elaborados como substitutos da fé. São os guisados de Jacó pelos quais a igreja troca a bênção da sua primogenitura. Cursos, planos e palestras sobre "como dobrar o número de membros da igreja em um ano", "como triplicar a receita da igreja". É importante ressaltar que o maior valor que a igreja possui é a fé. Precisamos mais de Deus e menos do homem.[166]

– o justo é aquele a quem Deus declara justo (2.4). Aqui está a semente da gloriosa doutrina da justificação pela fé. A justificação é um ato, e não um processo. Acontece uma única vez e jamais precisa ser repetida. A justificação é um ato legal e forense que acontece no tribunal de Deus, e não dentro de nós. É algo que Deus faz por Deus, e não em nós. Na justificação, somos declarados justos, e não feito justos. Não há graus de justificação. O menor crente está tão justificado quanto o maior santo.

– o justo é aquele a quem Deus justifica pelos méritos de outra Pessoa (2.4). Somos justificados mediante o sacrifício substitutivo e expiatório de Cristo na cruz. Somos pecadores. Pecamos por palavras, obras, omissão e pensamentos. Todos teremos de comparecer perante o tribunal de Cristo, e então seremos julgados segundo as nossas obras. Pelas obras da lei, ninguém poderá ser justificado diante de Deus, pois, para entrar no céu, Ele exige perfeição (Mt 5.48). A Bíblia diz que, se guardarmos toda a lei e tropeçarmos num único ponto, seremos culpados da lei inteira (Tg 2.10). Maldito aquele que não perseverar em toda a obra da lei para a cumprir (Gl 3.13). Se tivermos um só pecado, não poderemos entrar no céu, pois lá não entra nada contaminado (Ap 21.27). A Bíblia diz que o salário do pecado é a morte (Rm 6.23) e diz ainda que a alma que pecar, essa morrerá (Ez 18.4). Entretanto, o que não podíamos fazer, Deus fez por nós, enviando Seu Filho ao mundo como nosso representante e fiador. Quando Jesus foi à cruz, Deus lançou sobre Ele nossas transgressões (Is 53.6). Ele foi moído e traspassado pelas nossas iniqüidades. Ele carregou em Seu corpo, no madeiro, os nossos pecados (1Pe 2.24). Na cruz, Jesus sofreu o castigo dos nossos pecados. Ali, Ele foi coberto de trevas. Ali, Ele desceu ao inferno. Ali, Ele bebeu sozinho o cálice amargo da ira de Deus contra o pecado. Quando Ele estava suspenso no leito vertical da morte, Jesus pegou o escrito de dívida que era contra nós, rasgou-o e o encravou na cruz (Cl 2.15). Na cruz, Jesus pagou nossa dívida. Ele quitou o nosso débito e, mais, fez um infinito depósito em nossa conta, dando-nos Sua infinita justiça (2Co 5.21). Isso é justificação!

– o justo é aquele que é justificado mediante a fé (2.4). A fé não é causa da justificação, mas seu instrumento. A causa da justificação é a morte substitutiva de Cristo na cruz. A fé é o meio de apropriação dos benefícios benditos e eternos desse sacrifício perfeito e cabal. Essa fé não é merecimento humano; é dádiva de Deus. A fé é como a mão estendida de um mendigo para receber o presente de um rei. Pela fé, nos apropriamos das insondáveis riquezas de Cristo. Pela fé, somos salvos. Pela fé, vencemos o mundo. Pela fé, somos justificados.

## Uma esplêndida repercussão (2.4)

Habacuque 2.4 é um dos textos mais importantes da Bíblia. Isaltino Gomes Coelho Filho diz que aqui está o coração da Bíblia.[167] Warren Wiersbe diz que essas palavras podem muito bem ter sido as mais importantes de toda a história da Igreja.[168] Este texto está repetido três vezes no Novo Testamento (Rm 1.17; Gl 3.11; Hb 10.38). Ele é a síntese da mensagem salvadora. É o extrato do plano da redenção. Sua importância está além de qualquer descrição humana.

a) A importância desta verdade nos dias do profeta Habacuque. A visão que Deus deu a Habacuque e que deveria ser gravada para veiculação ampla e universal tinha um elemento de conforto e encorajamento imediato para o profeta e sua nação. Os caldeus, com toda a sua arrogância, não subsistiriam. A orgulhosa Babilônia seria desarraigada física e espiritualmente, mas o pequeno Judá não seria destruído nem politicamente nem espiritualmente. O prevalecimento dos caldeus sobre os habitantes de Judá era apenas temporal, mas a situação em breve seria revertida, pois, enquanto os caldeus confiavam em si mesmos, os justos viviam pela fé. Os caldeus marchavam para a morte, mas os justos trilhavam o caminho da vida.

b) A importância desta verdade para o apóstolo Paulo. O apóstolo Paulo, o maior teólogo do cristianismo, inspirado pelo Espírito Santo, usou este texto de Habacuque para lançar o fundamento de sua grande tese teológica, a doutrina da justificação pela fé, exposta de maneira tão magistral na sua carta aos Romanos. Essa mesma ênfase presente em Romanos 1.17 é dada em Gálatas 3.11 e repetida em Hebreus 10.38.

c) A importância desta verdade para Martinho Lutero. Habacuque 2.4, conforme interpretado pelo apóstolo Paulo em Romanos 1.17, foi a pedra de esquina da Reforma Protestante do século 16. Foi esta pequena expressão "o justo viverá pela fé" que raiou como luz no angustiado coração do monge agostiniano Martinho Lutero e o levou à conversão. Esse texto, disse Lutero, "foi para mim a verdadeira porta do paraíso".

A. R. Crabtree diz que, na polêmica com a Igreja Católica Romana, Lutero usou esse texto com muita força, dando ênfase à autoridade das Escrituras, à revelação divina, em lugar de à Igreja Católica Romana.[169] Mais tarde, no século 18, um jovem chamado João Wesley, angustiado pelo peso dos seus pecados, ouviu alguém ler o prefácio de Lutero no comentário deste à Epístola aos Romanos e se converteu, tornando-se um dos maiores evangelistas e avivalistas do mundo.[170] A justificação pela fé foi o grande estandarte da Reforma, num tempo em que a Igreja Romana pregava abertamente a salvação pelas obras.

d) A importância desta verdade para os nossos dias. A Igreja não pode permanecer em pé sem a doutrina de justificação pela fé. Não há cristianismo verdadeiro onde essa doutrina é negada ou torcida. Ela não é uma verdade lateral, mas o próprio âmago do cristianismo. Onde a justificação pela fé é negada, impera a apostasia. Onde ela é anunciada com fidelidade, aí estão as marcas genuínas da fé cristã.

George Robinson aponta três verdades fundamentais que emanam do texto de Habacuque:

- O fato da disciplina divina. O enigma constante do Antigo Testamento "não é a sobrevivência do mais idôneo, mas o padecimento do melhor". Em Jó, era o padecimento de um indivíduo; em Habacuque, o de uma nação.

- O fato de que o mal se destrói a si mesmo. Com uma arrogância notável, os caldeus estavam cegos ante o fato de que não eram senão a vara da vingança de Deus. Jeremias e Habacuque eram contemporâneos: Jeremias ensinou que é condenada a maldade no próprio povo de Deus; Habacuque, que a maldade nos caldeus é condenada. A tirania leva sempre dentro de si as sementes de sua própria destruição.

- O fato de que a fé é a condição da vida. O grande ensino de Habacuque é que o justo vive pela fé. Pela fé, ele vive; pela fé, ele vence; pela fé, ele se dispõe a morrer, na certeza de que ninguém pode separá-lo do amor de Deus.[171]

NOTAS CAPÍTULO 5

[136] WOLFENDALE, James. *The preacher's homiletic commentary*. Vol. 20. 1996: p. 497-500.

[137] PAPE, Dionísio. *Justiça e esperança para hoje*. 1983: p. 86.

[138] KEIL, C. F. & Delitzsch, F. *Commentary on the Old Testament*. Vol. 10. 1978: p. 68.

[139] MEARS, Henrietta C. *Estudo panorâmico da Bíblia*. 1982: p. 283,284.

[140] BAXTER, J. Sidlow. *Examinai as Escrituras: Ezequiel a Malaquias*. 1995: p. 243.

[141] LLOYD-JONES, D. Martyn. *Do temor à fé*. 1985: p. 40,41.

[142] WIERSBE, Warren W. *Comentário bíblico expositivo*. Vol. 4. 2006: p. 513.

[143] FEINBERG, Charles L. *Os profetas menores*. 1988: p. 213.

[144] BAXTER, J. Sidlow. *Examinai as Escrituras: Ezequiel a Malaquias*. 1995: p. 244.

[145] LLOYD-JONES, D. Martyn. *Do temor à fé*. 1985: p. 43.

[146] PAPE, Dionísio. *Justiça e esperança para hoje*. 1983: p. 84.

[147] LLOYD-JONES, D. Martyn. *Do temor à fé*. 1985: p. 45.

[148] WIERSBE, Warren W. *Comentário bíblico expositivo*. Vol. 4. 2006: p. 513.

[149] COELHO FILHO, Isaltino Gomes. *Habacuque: nosso contemporâneo*. 1990: p. 39.

[150] COELHO FILHO, Isaltino Gomes. *Habacuque: nosso contemporâneo*. 1990: p. 40.

[151] PAPE, Dionísio. *Justiça e esperança para hoje*. 1983: p. 85.

[152] BAKER, David W. et all. *Obadias, Jonas, Miquéias, Naum, Habacuque e Sofonias*. 2006: p. 339.

[153] COELHO FILHO, Isaltino Gomes. *Habacuque: nosso contemporâneo*. 1990: p. 40.

[154] FEINBERG, Charles L. *Os profetas menores*. 1988: p. 213.

[155] FEINBERG, Charles L. *Os profetas menores*. 1988: p. 214.

[156] FEINBERG, Charles L. *Os profetas menores*. 1988: p. 214.

[157] LLOYD-JONES, D. Martyn. *Do temor à fé*. 1985: p. 56,57.

[158] BAXTER, J. Sidlow. *Examinai as Escrituras: Ezequiel a Malaquias*. 1995: p. 241.

[159] Coelho Filho, Isaltino Gomes. *Habacuque: nosso contemporâneo.* 1990: p. 42.

[160] Lloyd-Jones, D. Martyn. *Do temor à fé.* 1985: p. 46.

[161] Isaías 13.19,20.

[162] Wiersbe, Warren W. *Comentário bíblico expositivo.* Vol. 4. 2006: p. 514.

[163] Coelho Filho, Isaltino Gomes. *Habacuque: nosso contemporâneo.* 1990: p. 42,43.

[164] Coelho Filho, Isaltino Gomes. *Habacuque: nosso contemporâneo.* 1990: p. 43.

[165] Wiersbe, Warren W. *Comentário bíblico expositivo.* Vol. 4. 2006: p. 515.

[166] Coelho Filho, Isaltino Gomes. *Habacuque: nosso contemporâneo.* 1990: p. 44.

[167] Coelho Filho, Isaltino Gomes. *Habacuque: nosso contemporâneo.* 1990: p. 41.

[168] Wiersbe, Warren W. *Comentário bíblico expositivo.* Vol. 4. 2006: p. 514.

[169] Crabtree, A. R. *Profetas menores.* 1971: p. 249.

[170] Coelho Filho, Isaltino Gomes. *Habacuque: nosso contemporâneo.* 1990: p. 41.

[171] Robinson, George. *Los doce profetas menores.* 1983: p. 107,108.

**Capítulo 6**

# Semeadura maldita, colheita desastrosa

(Hc 2.6-20)

QUEM SEMEIA, COLHE; colhe a mesma semente que plantou e ainda com mais abundância. Quem planta violência, colhe violência. Quem semeia ventos, colhe tempestade. Quem semeia na carne, da carne colhe corrupção. Essa lei é universal, e ninguém pode suspendê-la.

Destaco três pontos:

Em primeiro lugar, *o caráter santo de Deus exige a justa retribuição do mal.* O drama do profeta Habacuque era conjugar o caráter santo de Deus com o prevalecimento do mal entre o Seu povo e contra o Seu povo. No entanto, agora, Deus abre para ele as cortinas do futuro e mostra que o pecado não ficará para sempre impune. Porque Deus é santo e onipotente, o mal não pode prevalecer. Quem planta violência, colherá os frutos malditos de sua louca semeadura.

Em segundo lugar, *o pecado pode parecer vantajoso, mas ao fim ele traz opróbrio e destruição.* A ímpia Babilônia alcançou algumas conquistas econômicas e políticas consideráveis. Ela ajuntou nações como peixes em sua rede, e ninguém podia deter o seu avanço conquistador. Os povos ficaram reféns de sua marcha irresistível. Os caldeus agiam com truculência e esmagavam sem piedade os povos. Saqueavam seus bens e passavam ao fio da espada aqueles que não lhes podiam oferecer resistência. Construíram suas cidades sobre o fundamento de sangue inocente e ergueram seus luxuosos monumentos com a força dos braços surrados dos escravos.

Há um limite, porém, para o prevalecimento do mal. Quando o ímpio imagina estar no controle da situação e começa a dar glória ao seu próprio nome, então Deus o derruba das alturas e o expõe ao vexame. A recompensa do pecado é a morte. O pecado é o opróbrio das nações.

Em terceiro lugar, *as vitórias conquistadas com truculência e maldade são pura perda.* A arrogante Babilônia marchava sobre toda a terra reunindo nações e povos, fazendo todos se dobrarem diante do seu poder econômico e militar. Os caldeus eram irresistíveis. Eles eram a própria lei. Ninguém podia detê-los nem corrigi-los. Eles adoravam a si mesmos e escarneciam do Deus vivo. Quando estavam, porém, no auge da sua glória, no topo culminante de suas conquistas, Deus os arrancou de lá e os lançou no vale da vergonha e da derrota irrecuperável. Eles semearam a violência e agora ceifavam os seus malditos frutos. Eles pisaram os fracos sem que estes pudessem lhes fazer resistência e agora caíam diante dos medos e persas sem poder reagir. Eles estão colhendo o que plantaram.

O texto que vamos, agora, considerar é um cântico fúnebre da queda da Babilônia. David Baker diz que esse "ai" é uma expressão com freqüência empregada em cantos fúnebres (1Rs 13.20; Jr 22.18; 34.5; 48.1).[172]

Aqueles que davam glória aos seus deuses, agora escutam um coro de "ais" de sua ruína irremediável. Charles Feinberg diz que os cinco "ais" são apresentados de maneira simétrica em cinco estrofes de três versos cada uma. Os ais são levantados e proferidos por todas as nações e povos mencionados no versículo 5, que sofreram nas mãos do cruel opressor.[173] Martyn Lloyd-Jones, por sua vez, diz que os cinco "ais" registrados neste capítulo expressam bem a verdade não só com respeito aos caldeus, mas como um princípio universal da História. Tudo o que é mal está sob o juízo de Deus. Os maus podem triunfar por algum tempo, mas sua sentença está selada.[174]

Analisemos o texto em apreço:

## A condenação do roubo – a corrupção do poder econômico (2.6-8)

Os caldeus tinham depósitos enormes de bens roubados e saqueados de pessoas e nações desamparadas. A ganância deles não tinha limites. A disposição deles para acumular além do necessário era como uma fome insaciável. Por essa razão, eles aumentavam sua culpa, seus inimigos e seu perigo, diz James Wolfendale.[175] Vejamos alguns pontos importantes:

a) O enriquecimento ilícito é uma maldição (2.6). O profeta Habacuque diz: "Ai daquele que acumula o que não é seu..." (2.6). Nas guerras expansionistas, a Babilônia tinha tomado como presa de guerra reféns, objetos de arte, dinheiro, e tudo quanto podia ser levado para casa.[176] O pecado condenado pelo profeta aqui envolve um acúmulo de bens que não são seus, quer por meio do roubo quer mediante a fraude.[177] Enriquecer-se com o que pertence aos outros é a quebra do oitavo mandamento da lei divina, que diz: "Não furtarás" (Êx 20.15).

O enriquecimento ilícito está debaixo de um "ai" condenatório. Ele pode oferecer ao homem, à empresa ou à nação desonestos um aparente bem-estar e segurança, mas esse crime traz em si o DNA da morte. Ainda que seus agentes escapem do braço repressor da lei ou estejam protegidos por aqueles que a aplicam, jamais ficarão impunes perante Aquele que é o reto juiz.

O homem pode adquirir riquezas usando métodos iníquos nos negócios e chegar ao topo. Mas veja o fim do ímpio! Veja-o moribundo em seu leito; veja-o sepultado num túmulo, e pense na condenação e no ai que são seu destino! Deveríamos sentir tristeza pelos ímpios, porque eles são loucos o bastante para se embriagarem com êxito temporal. Seu fim está fixado, diz Martin Lloyd-Jones.[178]

b) O enriquecimento ilícito oferece uma aparente segurança (2.6). O profeta Habacuque estava perturbado com a demora de Deus em mostrar seu juízo contra os perversos caldeus. Por isso, ele pergunta: "[...] até quando?..." (2.6). O ambicioso egoísta pensa que jamais será apanhado pela justiça dos homens e que jamais será julgado pela justiça divina. Ele se sente seguro na prática do seu crime e não se apercebe de que está cavando sua própria sepultura e lavrando a sua própria sentença de condenação. O pecado é enganador. Ele é uma fraude. Oferece uma falsa sensação de segurança. Promete prazer e paga com o desgosto.

Promete segurança e traz derrota. Promete vida e conduz à morte.

c) O enriquecimento ilícito usa instrumentos de opressão (2.6). O profeta Habacuque prossegue no seu provérbio de escárnio contra os caldeus, dizendo: "Ai [...] daquele que a si mesmo se carrega de penhores." (2.6). O pecado denunciado por Habacuque aqui é a extorsão mediante o acúmulo de penhores (Dt 24.10-13). Às vezes, essa prática conduzia à escravização dos pobres que necessitavam tomar dinheiro emprestado (Ne 5.1-5), visto que o último bem ou garantia que alguém poderia oferecer e perder seria a sua própria pessoa.[179]

A. R. Crabtree diz que os penhores são dívidas e impostos que os conquistadores extorquiam dos subjugados.[180] Os caldeus não apenas pilhavam as cidades e saqueavam as gentes, como impunham pesados tributos sobre os povos conquistados. Assim, eles tornavam inviável a vida econômica dos súditos. O imperialismo caldeu não só arrastou as nações como peixes indefesos em sua rede, mas, também, impôs sobre esses povos conquistados tributos tão pesados que a vida deles tornou-se um inferno. Esse imperialismo econômico ainda está presente no mundo. As nações mais poderosas exploram as mais pobres. São como os agiotas que emprestam dinheiro na hora do aperto, com a cobrança de juros abusivos, mantendo os devedores num cabresto de opressão.

d) O enriquecimento ilícito tem uma conseqüência desastrosa (2.7,8). O profeta sentencia os injustos caldeus: "Não se levantarão de repente os teus credores? E não despertarão os que te hão de abalar? Tu lhes servirás de despojo. Visto que despojaste a muitas nações, todos os mais povos te despojarão a ti, por causa do sangue dos homens e da violência contra a terra, contra a cidade e contra todos os seus moradores" (2.7,8). O mal cometido contra os outros volta-se contra o próprio malfeitor. Quem planta violência, colhe violência. Quem planta ódio, colhe ódio. Quem espalha terror, por ele será apanhado. Quem semeia indiscriminadamente a morte, será apanhado por ela irremediavelmente. Jesus disse: "[...] todos os que lançam mão da espada, à espada perecerão" (Mt 26.52).

Dionísio Pape diz que, como o indivíduo, as nações também ceifam o que semeiam. Eis o princípio fundamental que controla o destino humano: "[...] de Deus não se zomba, pois aquilo que o homem semear, isso também ceifará" (Gl 6.7). Habacuque sabia que cedo ou tarde o opressor sofreria a mesma sorte de suas vítimas.[181] A Babilônia saqueou outras nações, e ela própria foi saqueada. Os babilônios haviam derramado rios de sangue, e seu sangue foi derramado.

Martyn Lloyd-Jones diz que assim também acontece com todas as nações. Leia a respeito dos impérios iníquos. Como pareciam ter o mundo todo aos seus pés! Egito, Grécia, Roma! Recorde-se, porém, de seu fim. Durante a Era Cristã, aconteceu a mesma coisa. Houve uma época em que parecia que os turcos dominavam o mundo; mas, finalmente, caíram. Nação após nação se levantou, para depois cair. Chega a hora em que o "ai" pronunciado por Deus entra em vigor. O "ai", o juízo e a sentença de Deus sobre o injusto são certos.[182]

Nessa mesma linha de pensamento, A. R. Crabtree diz que a exploração econômica é característica de todas as civilizações. A exploração econômica da sociedade moderna é o argumento principal do comunismo contra o capitalismo. Contudo, o comunismo tem também sua classe de exploradores econômicos, que, por sua vez, despreza a dignidade e os direitos pessoais do homem. O fato é que não há nenhuma forma de governo ou de sociedade que possa eliminar o espírito de egoísmo do homem. Só a graça de Deus pode dar ao homem um novo coração.[183]

As nações predadoras de hoje têm esquecido isto: existe na Bíblia a lei da semeadura e colheita (Gl 6.7). Judá praticou violência, e foi julgado pela violência. Babilônia espalhou a violência e sucumbiu pela violência. A violência não traz segurança. É enganoso buscar a proteção sob as asas da violência. É um grave erro pensar que estaremos seguros se armazenarmos armas nucleares. A declaração marxista de que "a violência é a parteira da História" é um terrível equívoco. Isaltino Gomes Coelho Filho diz que a expressão correta seria "a violência é a coveira da História".[184]

### A condenação da ambição orgulhosa – a corrupção do poder social (2.9-11)

O profeta Habacuque continua falando acerca da riqueza ilícita dos caldeus e dos seus lucros criminosos, destacando, porém, o propósito deles em ajuntar riquezas: distinguir-se socialmente.

James Wolfendale sintetiza este parágrafo dizendo que Habacuque está enfatizando o propósito, as provas e os resultados da ambição dos caldeus.[185] Eles se encastelavam em seus palácios, dentro da inexpugnável cidade da Babilônia, e se refugiavam no topo de sua segurança, pensando que jamais poderiam ser derrubados de lá. Como águias, colocavam o seu ninho no alto dos penhascos (Jó 39.27). O propósito dos caldeus era a exaltação de si mesmos. O poder econômico oferece ao homem uma sensação de segurança. O opressor ímpio talvez pense que sua posição é invulnerável, como pensaram os edomitas ao colocarem o seu ninho nas escarpadas montanhas, bem perto das estrelas (Ob 4).

Destacaremos alguns fatos neste texto:

a) os bens adquiridos com desonestidade estão debaixo de uma sentença condenatória de Deus (2.9a). O profeta Habacuque é contundente em sua fala: "Ai daquele que ajunta em sua casa bens mal adquiridos..." (2.9). O significado básico de "mal adquiridos" é quebrar abruptamente, como o fazem os orientais com peças de prata e outros metais em transformações monetárias. Mais tarde, essa expressão veio a referir-se aos que andam em busca de ganho iníquo.[186]

Depois de suas conquistas militares, a Babilônia pilhava os países invadidos. Do templo em Jerusalém, seu exército levou para a Babilônia os sagrados tesouros e os utensílios de ouro. O desonesto pode parecer esperto, feliz, vencedor, mas ele está debaixo de uma sentença de maldição. O seu pecado o achará, e ele será apanhado pelas próprias cordas do seu ambicioso coração. A sua riqueza será apenas combustível da sua destruição.

b) O dinheiro oferece temporariamente uma aparente segurança (2.9b). O propósito do desonesto em roubar, espoliar e saquear os bens alheios é construir o seu ninho no alto dos penhascos, longe dos perigos e ameaças. Ele quer sentir-se protegido e seguro. Ele pensa que o dinheiro é o fundamento da sua segurança. Mas Habacuque diz: "Ai daquele que ajunta em sua casa bens mal adquiridos, para pôr em lugar alto o seu ninho, a fim de livrar-se das garras do mal" (2.9). O dinheiro é um falso refúgio. Ele não pode livrar o homem das garras do mal. Só Deus pode fazê-lo!

Warren Wiersbe diz que os babilônios tomaram terras que não lhes pertenciam, a fim de construir um império que os glorificasse e que lhes garantisse proteção. Seu objetivo era ter a segurança da águia, que constrói o seu ninho no alto dos penhascos (Jó 39.27). Não há, porém, posição geográfica nem poder político ou econômico que possam oferecer verdadeira segurança. A segurança da Babilônia era falsa, pois nenhum indivíduo ou nação pode construir muros altos o suficiente para deixar Deus de fora.[187]

Dionísio Pape diz que provavelmente Habacuque se referiu aos jardins suspensos da Babilônia, uma construção extraordinária conhecida como uma das sete maravilhas do mundo antigo, quando falou dos bens mal adquiridos e colocados em lugares altos.[188]

c) A riqueza adquirida pelos instrumentos da corrupção traz vergonha, e não sucesso (2.10). Habacuque prossegue e diz: "Vergonha maquinaste para a tua casa; destruindo tu a muitos povos, pecaste contra a tua alma" (2.10). O desonesto peca contra Deus violando Sua lei, peca contra o próximo violando seus direitos e peca contra sua própria alma deixando-se corromper pela ganância. Aqueles que querem ficar ricos caem em muitas ciladas e grandes tormentos. A vida de um homem não consiste na abundância de bens que possui. A riqueza é bênção se procede de Deus por meio do trabalho honesto; mas, quando acumulada pelos malabarismos da corrupção, é uma deslavada vergonha e pura perda.

Os caldeus, por meio de sua ganância insaciável, em vez de casas e de famílias para trazer-lhes honra, teriam desgraça e vergonha e acabariam perdendo a própria vida. Jesus perguntou: "Que aproveita ao homem ganhar o mundo inteiro e perder a sua alma?" (Mc 8.36). Da mesma forma, os profetas repreenderam os ricos em várias ocasiões, pois viviam em meio ao luxo, enquanto os pobres sofriam amargamente (Am 3.15; 6.11). Jesus advertiu Seus discípulos: "Tende cuidado e guardai-vos de toda e qualquer avareza" (Lc 12.15). A lei de Deus é clara e categórica: "Não cobiçarás..." (Êx 20.17).

d) A riqueza mal adquirida, em vez de trazer proteção, traz testemunho contra o infrator ganancioso (2.11). O profeta Habacuque, numa linguagem figurada, descreve esse fato assim: "Porque a pedra clamará da parede, e a trave lhe responderá do madeiramento" (2.11). Em vez de trazer segurança e proteção das garras do mal, os bens mal adquiridos testemunharão publicamente contra os avarentos. Os próprios materiais de suas casas caras testemunhariam contra eles, pois haviam sido saqueados de pessoas indefesas. Em vez de lhes livrar a pele no dia do mal, esses bens seriam combustível para lhes devorar a carne. Tiago usou uma imagem semelhante quando advertiu os ricos sobre como os salários que deviam aos trabalhadores testemunhariam contra eles no julgamento (Tg 5.1-6).[189]

### A violência – a corrupção do poder político (2.12-14)

A. R. Crabtree diz que o profeta está se referindo às edificações construídas pelos conquistadores nas terras subjugadas, depois de matar e dominar os próprios donos.[190]

O crudelíssimo Nabucodonosor foi protótipo de uma longa lista de invasores famosos pelo derramamento de sangue: Júlio César, Gêngis Khan, Napoleão Bonaparte, Adolf Hitler, Stalin, Mao Tsé-tung, Idi Amin. Ainda hoje, depois de tantos séculos de dura experiência, e de progresso cultural, as invasões continuam no Afeganistão, no Iraque, no Líbano e outras paragens. Deus de fato julgará as nações edificadas com sangue. Todos os impérios do mundo chegam à maré alta, recuam e desaparecem no oceano da humanidade, diz Dionísio Pape.[191]

Isaltino Gomes Coelho Filho alerta para o fato de que a violência está quase que institucionalizada. Tornou-se motivo de lazer. Os filmes de ação são os que dão mais ibope e estão encharcados de sangue. Os jogos infantis estão carregados de violência. Os meios de comunicação são verdadeiras escolas do crime. Quando um Rambo é mostrado como herói, alguma coisa está errada. Os noticiários são verdadeiras sucursais do submundo do crime. Nessa sociedade ensandecida e embriagada de sangue, Habacuque levanta sua voz para dizer que Deus julgará a violência e punirá os que se valem dela.[192] Vejamos alguns pontos importantes neste parágrafo:

a) A vitória alcançada pela opressão tem gosto de derrota (2.12). A Babilônia edificou seu vasto império e construiu sua magnificente cidade com o sangue dos inocentes, arrastados com anzóis e redes varredouras. Os cativos oprimidos e espoliados construíram os magnificentes monumentos e os jardins suspensos da Babilônia. O ouro de seus palácios foram riquezas roubadas das nações. A felicidade deles foi erguida sobre a infelicidade dos povos. O riso deles foi construído sobre os escombros das lágrimas dos povos esmagados por sua truculência. Os caldeus ergueram aquela pujante e inexpugnável cidade com iniqüidade. Porém, longe dessa vitória ensopada de sangue ser motivo de orgulho político, deveria ser razão de vergonha. Deus sentencia com um "ai" condenatório a violência do megalomaníaco Império Caldeu.

Warren Wiersbe diz que a Babilônia construída por prisioneiros de guerra e pela exploração do trabalho escravo orgulhava-se daquilo que havia construído, mas Deus disse que essa opulenta cidade seria apenas lenha para o fogo. A cidade da Babilônia era um prodígio de arquitetura, mas seus grandes projetos não tinham valor algum. Hoje não existe mais nada. Quem quiser saber como a Babilônia era, precisa visitar um museu.[193]

b) O poder político conquistado pela força da violência é efêmero (2.13). O profeta Habacuque pergunta: "Não vem do SENHOR dos Exércitos que as nações labutem para o fogo e os povos se fatiguem em vão?" (2.13). A glória do ímpio fenece como a relva. Seu poder político é passageiro como o vento. Sua estabilidade é tão frágil quanto o lodo. Quem coloca o selo da celeridade e efemeridade no poder político das nações é o próprio Deus. O Senhor transtorna o caminho do ímpio. Deus o derruba do seu alto refúgio e o arranca do seu ninho. Deus abate reinos e derruba reis do seu trono. Ele faz aquele que chegou ao topo da montanha fazer uma viagem de descida vertiginosa para as profundezas da mais amarga miséria. Deus mesmo transforma as riquezas dos poderosos em lenha para o fogo da sua própria destruição. Todo o esforço do ímpio truculento desfaz-se em nada. Seu ganho é nulo. Sua recompensa é a vergonha. Seu destino é a morte. Os reinos deste mundo passam. As nações poderosas caem. Os ricos que se empoleiram no poder para oprimir os fracos são consumidos com suas riquezas, e tudo o que eles acumularam vira cinza.

c) Os reinos do mundo vão sucumbir, mas o Reino de Deus vai triunfar (2.14). A Babilônia sentia-se segura e invulnerável. Mas bastou uma noite de orgia e bebedeira para esse opulento império cair nas mãos dos medos e persas e tornar-se apenas notícia nas páginas da

História (Dn 5.1-31). Contudo, o Reino de Deus, indestrutível, universal e eterno, estenderá seus limites para todos os quadrantes da terra e jamais será abalado.

O nome da Babilônia cairá no esquecimento, mas o profeta Habacuque diz: "[...] a terra se encherá do conhecimento da glória do SENHOR, como as águas cobrem o mar" (2.14). O reino da Babilônia deve abrir caminho ao reino do Senhor e do Seu Cristo (Ap 11.15).

Warren Wiersbe diz que a glória da Babilônia foi efêmera, mas a glória do SENHOR permanecerá para sempre. Sem dúvida, o Senhor foi glorificado quando a Babilônia caiu diante de seus inimigos em 539 a.C. e será glorificado quando for destruída a Babilônia do fim dos tempos, aquele último grande império que se opõe a Deus (Ap 17 e 18). Quando Jesus voltar e estabelecer Seu reino, então, verdadeiramente, a glória de Deus cobrirá toda a terra (2.14; Is 9.1-9). A queda da "grande Babilônia" é uma lembrança para nós de que aquilo que o homem constrói sem Deus não pode durar. O explorador acabará perdendo tudo, e as "utopias" humanas se transformarão em catástrofes. Não é possível explorar pessoas feitas à imagem de Deus e esperar escapar do julgamento de Deus. Pode levar tempo, mas um dia o julgamento virá.[194]

Martyn Lloyd-Jones diz que os inimigos de Deus e do Seu povo podem ser agressivos; tudo pode dar a entender que vão exterminar a Igreja! Mas certamente virá o dia em que "[...] ao nome de Jesus se [dobrará] todo joelho, nos céus, na terra e debaixo da terra, e toda língua [confessará] que Jesus Cristo é Senhor, para a glória de Deus Pai (Fp 2.9-11). Satanás será aniquilado e lançado no lago de fogo; tudo quanto se opõe a Deus será destruído, e haverá "[...] novos céus e nova terra, nos quais habita justiça" (2Pe 3.13).

A cidade de Deus descerá, e os justos entrarão nela. Tudo quanto é impuro ficará de fora, e Deus será tudo em todos. O triunfo final de Deus é certo.[195]

### A embriaguez - a corrupção do poder moral (2.15-17)

Dionísio Pape diz que as estrondosas vitórias do exército caldeu eram ocasiões para marchas triunfais e celebrações festivas. Com brinde ao imperador invencível, as tropas se lançavam na bebedice desenfreada. Na embriaguez, abandonavam o pudor, expondo-se vergonhosamente.[196] Charles Feinberg, nessa mesma linha de pensamento, diz que esse "ai" leva em consideração o tratamento vergonhoso que o caldeu dispensava ao mais fraco ou às nações vizinhas. A idéia é a de que os caldeus, com sua volúpia de poder e conquista, induziam as outras nações à guerra visando a despojá-las, as quais eram, por fim, deixadas a sofrer perda e vergonha.[197]

A embriaguez é um dos males mais graves da sociedade. Ela destrói vidas, famílias, cidades e nações. A Palavra de Deus adverte severamente acerca dos graves prejuízos da bebida forte (Pv 20.1; 21.17; 23.20,21,29-35; Rm 13.13; Gl 5.21; 1Ts 5.7). A embriaguez e a degradação moral, com freqüência, andam juntas (Gn 9.20-27; 19.30-38; Rm 13.11-14). A própria Babilônia caiu numa noite em que o rei Belsazar e seus convivas estavam se embebedando. Examinemos o texto em tela e tiremos algumas lições:

a) Quem humilha e degrada o próximo atrai sobre si o juízo de Deus (2.15). O profeta Habacuque, de forma contundente, sentencia: "Ai daquele que dá de beber ao seu companheiro, misturando à bebida o seu furor, e que o embebeda para lhe contemplar as vergonhas!" (2.15). A Babilônia embebedava seus súditos para escarnecer deles e humilhá-los. A mão de Deus pesou sobre aquele arrogante império, e ele caiu numa noite de bebedeira e orgia. Deus abomina todo expediente que visa a explorar e humilhar as pessoas. Ele julga a intenção maligna dos corações que pretendem a expor as pessoas ao vexame.

b) Deus é o vingador daquele que degrada o próximo para o explorar (2.16). O profeta Habacuque prossegue: "Serás farto de opróbrio em vez de honra; bebe tu também e exibe a tua incircuncisão; chegará a tua vez de tomares o cálice da mão direita do SENHOR, e ignomínia cairá sobre a tua glória" (2.16). Deus mesmo tomará a causa dos oprimidos e ele mesmo dará a paga àqueles que oprimem e escarnecem do próximo sem que este possa impor qualquer resistência. Deus não tolera a injustiça. Ele não aceita o abuso. Ele é o vingador contra aqueles que vivem para escarnecer e oprimir.

Aquilo que a Babilônia fez com os outros, Deus faria com ela. A Babilônia foi um cálice de ouro nas mãos de Deus (Jr 51.7), usado para disciplinar as nações, mas Deus lhe daria de beber de um cálice que traria sua ruína (Ap 16.19). Ela seria envergonhada quando as outras nações vissem sua nudez. A violência que ela fez aos outros lhe seria feita; assim como derramou o sangue de outros, seu sangue seria derramado, e, como ela destruiu as terras de outras nações, sua terra seria devastada. A glória de Deus cobriria a terra, mas a glória da Babilônia seria recoberta de vergonha. A humilhação da Babilônia seria tão avassaladora que o retrato aqui descrito é o mesmo de um bêbado repulsivo vomitando sobre si mesmo.[198]

c) Toda sorte de violência é um atentado contra Deus e a sua criação (2.17). A Babilônia, na sua sede de conquista, não respeitou nações, cidades, matas, homens e animais.

Os caldeus devastaram com violência as florestas do Líbano, destruíram o *habitat* dos animais, derramaram o sangue dos homens e massacraram as cidades com seus moradores. Eles não respeitavam a terra, nem as plantas; massacravam tanto os animais quanto os homens. Cometeram crimes ecológicos e crimes contra a humanidade.

Agora, a malfeitoria espalhada pela Babilônia está vindo sobre sua própria cabeça. O profeta Habacuque sentencia: "Porque a violência contra o Líbano te cobrirá, e a destruição que fizeste dos animais ferozes te assombrará, por causa do sangue dos homens e da violência contra a terra, contra a cidade e contra todos os seus moradores" (2.17). Deus não deixa impunes os pecados cometidos contra a natureza e contra a humanidade.

**A idolatria - a corrupção do poder espiritual (2.18-20)**

O último "ai" é proferido contra o maior de todos os pecados, a idolatria, diz Charles Feinberg.[199] A verdade é que a idolatria representa a fonte, a razão básica de todos os outros "ais".[200]

A idolatria é uma abominação para Deus. É uma acintosa transgressão dos mandamentos de Deus (Êx 20.4-6). Idolatria é adorar a criatura em lugar do criador (Rm 1.25). A idolatria começou com Lúcifer, que disse: "[...] subirei acima das mais altas nuvens e serei semelhante ao Altíssimo" (Is 14.14). Entrou na humanidade quando Eva quis ser igual a Deus (Gn 3.5). Este blasfemo cântico "Glórias ao homem nas maiores alturas" constitui a essência da idolatria. A palavra hebraica para "ídolo" significa "coisa vã", aquilo que não tem nenhum valor.[201] Vejamos algumas lições deste parágrafo:

a) Os ídolos são absolutamente impotentes (2.18a). Os ídolos são substitutos mortos do Deus vivo, diz Warren

Wiersbe.[202] Um ídolo não é nada. É pau. É pedra. É gesso. É material. Por conseguinte, a idolatria é resultado de um entorpecimento da razão e de uma densa cegueira espiritual. Os homens adoram um deus criado por eles mesmos. Os homens se prostram diante de ídolos fabricados por eles mesmos. Os ídolos são impotentes, desprovidos de vida e poder. O profeta Habacuque pergunta: "Que aproveita o ídolo, visto que o seu artífice o esculpiu?" (2.18a).

Um ídolo é tudo aquilo que nós colocamos no lugar de Deus. Há muitos ídolos sendo adorados ainda hoje, como o dinheiro, os bens de consumo, os astros do esporte, da moda e do cinema, o sucesso pessoal e os prazeres da vida. O dinheiro, por exemplo, é mais do que uma moeda; é um espírito, é um ídolo, é Mamom. O dinheiro é o deus mais adorado e servido no mundo atualmente. Há muitos que vivem, morrem e matam por causa desse ídolo. Muitos se casam e se divorciam por causa do dinheiro. Multidões e multidões se prostram diariamente no seu altar, consagrando a esse deus seus sonhos, sua devoção, sua força e sua vida.

Coisas e pessoas podem se transformar em verdadeiros ídolos em nossa vida. A posição social pode ser um ídolo, bem como a realização profissional. Para alguns, seu ídolo é o apetite (Fp 3.19; Rm 16.18), pois vivem apenas em razão de sentir prazer carnal. A capacidade intelectual pode ser um ídolo (1Co 8.1). A Bíblia, porém, nos exorta: "Filhinhos, guardai-vos dos ídolos" (1Jo 5.21).

b) Os ídolos são instrumentos de engano (2.18b). O profeta Habacuque prossegue no seu argumento e pergunta: "E a imagem de fundição, mestra de mentiras, para que o artífice confie na obra, fazendo ídolos mudos?" (2.18b).

O apóstolo Paulo diz que o ídolo, de si mesmo, nada é no mundo (1Co 8.4), porém quem está por trás do ídolo são os demônios (1Co 10.20). Existe um espírito enganador agindo na idolatria (Os 4.12). Por isso, as pessoas atribuem milagres aos ídolos, pois eles parecem funcionar. É esse engano que enreda muitas pessoas no cipoal da idolatria.

Habacuque chama a imagem de fundição de mestra de mentiras. Ele afirma que o próprio artífice confia nos ídolos mudos criados por suas próprias mãos. Vivemos no maior país católico e espírita do mundo. Milhões de brasileiros invocam os "santos" padroeiros, fazendo-lhes orações. A padroeira ou protetora do Brasil é apenas uma imagem de gesso pescada no rio Paraíba do Sul. Em 2007, o papa Bento XVI canonizou no Brasil o frei Galvão, dando-lhe o *status* de santo, entronizando-o no panteão católico dos intercessores. Estatuetas do "santo brasileiro" são distribuídas aos fiéis, e eles passam a invocar uma imagem em lugar do Deus vivo, a orar à criatura em lugar do Criador, a clamar a uma imagem muda, em vez de buscar a face do Deus vivo. Isso é consumada loucura!

c) Os ídolos são desprovidos de vida e de poder (2.19). O profeta Habacuque é enfático em sua sentença: "Ai daquele que diz à madeira: Acorda! E à pedra muda: Desperta! Pode o ídolo ensinar? Eis que está coberto de ouro e de prata, mas, no seu interior, não há fôlego nenhum" (2.19). O ídolo não tem vida nem pode atender a um chamado. Um ídolo não pode escutar uma oração nem interceder a favor daquele que se prostra para invocá-lo.

A idolatria é falta de entendimento, é ausência de lucidez, é a morte da razão (Is 44.9-20). Por isso, o adorador da imagem muda e morta torna-se semelhante a ela, sem entendimento e sem vida espiritual (Sl 115.4-8).

d) Os idólatras estão debaixo de maldição (2.19). A idolatria não é algo neutro. Ela provoca a ira de Deus (Rm 1.18-23). A idolatria é um insulto ao Criador. A idolatria é uma corrupção do culto divino. Deus proibiu a idolatria na sua lei (Êx 20.3-6). Quem se prostra diante de ídolos, acaba adorando os demônios que estão por trás deles (1Co 10.20). Os idólatras não entrarão no Reino de Deus (1Co 6.9,10); ao contrário, serão lançados no lago de fogo (Ap 21.8). O profeta lança um "ai" de condenação sobre os idólatras. A Babilônia confiava nos seus deuses e pereceu com eles.

e) Somente Deus é soberano e digno de adoração (2.20). Em contraste com os ídolos, o profeta Habacuque faz uma das mais profundas declarações teológicas do seu livro, ao afirmar: "O SENHOR, porém, está no seu santo templo; cale-se diante dele toda a terra" (2.20). Os ídolos não são nada. Há no céu, porém, o Deus vivo que tudo vê e governa. Ele não está oculto sob ouro e prata, mas vivo no céu, pronto e disposto a ajudar o Seu povo. Ele é o Deus invisível que habita Seu templo celestial. Diante dEle, as nações devem se apresentar solene e humildemente (Sl 76.8,9; Sf 1.7; Zc 2.13). Convém que as nações, assim como os indivíduos, se submetam a Ele em silêncio, aguardando o Seu juízo.[203]

O templo aqui não é o belo santuário erguido pelo rei Salomão na cidade de Jerusalém, mas o templo cósmico. Não há um centímetro deste vasto Universo onde Deus não esteja presente. Os ídolos não podem socorrer, porque são mortos, mas o Deus vivo está no trono. Ele está no Seu santo templo. Os ídolos não são dignos de serem adorados, mas Deus é soberano, e devemos nos achegar a Ele com senso de reverência: "[...] cale-se diante dele toda a terra"

(2.20). Os ídolos estão cobertos de vexame, mas Deus está revestido de glória.

Deus descortina diante do profeta Sua majestade e traz respostas às suas inquietações. Habacuque compreende, agora, que Deus jamais perdera o controle da situação. As rédeas da História sempre estiveram em Suas mãos. Os reinos do mundo passariam, mas o Reino de Deus seria estabelecido eternamente, pois o Senhor supremo, rei do Universo, está no Seu santo templo, e toda a terra deve se curvar diante dEle.

Habacuque enfrentou profundas angústias espirituais. A violência do seu povo e a truculência dos caldeus o afligiram. O silêncio e a inação de Deus o perturbaram. A metodologia de Deus em disciplinar Judá o deixou aterrado. Agora, porém, Deus conforta o coração de Habacuque, mostrando-lhe que, mesmo no sofrimento do justo, por causa do caráter santo de Deus e do Seu eterno poder, Seu plano soberano está em curso e jamais poderá ser frustrado. Três verdades consoladoras foram reveladas ao profeta neste livro:

- A graça de Deus (2.4). A primeira certeza que Deus deu a Habacuque foi a de que o justo vive pela fé e é salvo pela graça.

- A glória de Deus (2.14). O império que haverá de dominar o mundo não é um reino terreno, mas o Reino de Deus. A glória que encherá a terra não é a dos homens poderosos, mas a do Deus todo-poderoso.

- A soberania de Deus (2.20). Os ídolos são surdos, impotentes e mortos, mas Deus está entronizado no Seu santo templo, e toda a terra deve se curvar reverente diante da Sua face.

Após receber essa tríplice revelação de Deus, Habacuque passou, da preocupação e vigilância, à adoração, diz Warren Wiersbe.[204]

NOTAS CAPÍTULO 6

[172] BAKER, David W. et all. *Obadias, Jonas, Miquéias, Naum, Habacuque e Sofonias.* 2006: p. 344.

[173] FEINBERG, Charles L. *Os profetas menores.* 1988: p. 215.

[174] LLOYD-JONES, D. Martyn. *Do temor à fé.* 1985: p. 61.

[175] WOLFENDALE, James. *The preacher's complete homiletic commentary.* Vol. 20. 1996: p. 502.

[176] PAPE, Dionísio. *Justiça e esperança para hoje.* 1983: p. 87.

[177] BAKER, David W. et all. *Obadias, Jonas, Miquéias, Naum, Habacuque e Sofonias.* 2006: p. 344.

[178] LLOYD-JONES, D. Martyn. *Do temor à fé.* 1985: p. 62.

[179] BAKER, David W. et all. *Obadias, Jonas, Miquéias, Naum, Habacuque e Sofonias.* 2006: p. 345.

[180] CRABTREE, A. R. *Profetas menores.* 1971: p. 252.

[181] PAPE, Dionísio. *Justiça e esperança para hoje.* 1983: p. 88.

[182] LLOYD-JONES, D. Martyn. *Do temor à fé.* 1985: p. 62.

[183] CRABTREE , A. R. *Profetas menores.* 1971: p. 253.

[184] COELHO FILHO, Isaltino Gomes. *Habacuque: nosso contemporâneo.* 1990: p. 49,50.

[185] WOLFENDALE, James *The preacher's complete homiletic commentary.* Vol. 20. 1996: p. 503.

[186] FEINBERG, Charles L. *Os profetas menores.* 1988: p. 216.

[187] WIERSBE, Warren W. *Comentário bíblico expositivo.* Vol. 4. 2006: p. 515.

[188] PAPE, Dionísio. *Justiça e esperança para hoje.* 1983: p. 88.

[189] WIERSBE, Warren W. *Comentário bíblico expositivo.* Vol. 4. 2006: p. 515.

[190] CRABTREE, A. R. *Profetas menores.* 1971: p. 254.

[191] PAPE, Dionísio. *Justiça e esperança para hoje.* 1983: p. 89.

[192] COELHO FILHO, Isaltino Gomes. *Habacuque: nosso contemporâneo.* 1990: p. 57.

[193] WIERSBE, Warren W. *Comentário bíblico expositivo.* Vol. 4. 2006: p. 516.

[194] WIERSBE, Warren W. *Comentário bíblico expositivo.* Vol. 4. 2006: p. 516.

[195] LLOYD-JONES, D. Martyn. *Do temor à fé.* 1985: p. 63.

[196] PAPE, Dionísio. *Justiça e esperança para hoje.* 1983: p. 89.

[197] Feinberg, Charles L. *Os profetas menores.* 1988: p. 217.

[198] Wiersbe, Warren W. *Comentário bíblico expositivo.* Vol. 4. 2006: p. 516.

[199] Feinberg, Charles L. *Os profetas menores.* 1988: p. 217.

[200] Crabtree, A. R. *Profetas menores.* 1971: p. 257.

[201] Coelho Filho, Isaltino Gomes. *Habacuque: nosso contemporâneo.* 1990: p. 63.

[202] Wiersbe, Warren W. *Comentário bíblico expositivo.* Vol. 4. 2006: p. 517.

[203] Feinberg, Charles L. *Os profetas menores.* 1988: p. 217.

[204] Wiersbe, Warren W. *Comentário bíblico expositivo.* Vol. 4. 2006: p. 517,518.

Capítulo 7

# Como fazer uma viagem do medo à exultação

(Hc 3.1-19)

HABACUQUE É O PROFETA que canta dentro da noite, diz Henrietta Mears.[205] O livro de Habacuque começa num vale profundo e termina nas alturas excelsas. O profeta vai do desespero à esperança, do temor à fé, da angústia avassaladora à exultação indizível e cheia de glória.

Neste capítulo, Habacuque muda de estilo e de conteúdo, diz Isaltino Gomes Coelho Filho.[206] Dionísio Pape diz que Habacuque chegou a conciliar a razão com a fé. E, como expressão dessa nova liberdade, ele compôs um belíssimo poema, um hino de louvor que constitui uma jóia do saltério hebraico.[207] A. R. Crabtree chega a dizer que na beleza do estilo literário não se encontra na poesia hebraica nenhuma obra superior a este salmo.[208] Jerónimo Pott, citando Robinson, diz que este terceiro capítulo de Habacuque é um dos mais belos cânticos de louvor do Antigo Testamento. É ousado em seu conceito, sublime em seu pensamento, majestoso em sua dicção e puro em sua retórica.[209]

Essa mudança interior não foi produto de meditação transcendental nem mesmo fruto de uma leitura do cenário político de seu tempo, mas uma volta à Escritura e uma passeada pela História para relembrar quem é Deus e quais são Seus gloriosos feitos. Jerónimo Pott diz que Habacuque, depois de ouvir os juízos, as ameaças e também as promessas, prorrompe em um sublime cântico; este capítulo é uma oração e um cântico de louvor a Deus.[210]

O povo que conhece a Deus é forte. O conhecimento de Deus e das Suas obras é o maior antídoto contra o desespero. Quando nos voltamos para as Escrituras, descobrimos que as rédeas da História não estão nas mãos das grandes e poderosas nações, mas nas mãos dAquele que está assentado sobre um alto e sublime trono. Os impérios opulentos caem e voltam ao pó do esquecimento. Aqueles que estavam oprimidos fazem uma viagem do vale para o cume dos montes, enquanto aqueles que oprimiam despencam vertiginosamente do topo para o chão. Deus desbanca a altivez dos poderosos e exalta os humildes.

Destacamos alguns pontos:

Em primeiro lugar, *quando tudo parece perdido, com Deus ainda não está perdido.* Qualquer analista político que olhasse a situação vivenciada por Habacuque, lavraria uma sentença de morte ao pequeno reino de Judá. A Babilônia era a dona do mundo, a detentora de um poder irresistível e de uma crueldade indescritível. Jerusalém seria esmagada impiedosamente, e suas ruas seriam pisadas pelos opressores sem que houvesse qualquer resistência. Mas o forte se torna fraco, e o fraco é revestido de força. A Babilônia caiu, e Judá foi restaurado. Nenhum poder político ou econômico pode frustrar os desígnios de Deus. O plano de Deus prevalece ainda que toda a terra se levante contra Ele. Seguir as pegadas do Deus todo-poderoso, eis o segredo de uma vida triunfante!

Em segundo lugar, *quando chegamos no final dos nossos recursos, os recursos de Deus ainda estão disponíveis.* A crise é um tempo de oportunidade. Habacuque não sucumbiu diante da aterradora situação, mas subiu à torre de vigia e clamou por um avivamento. Ao meditar sobre a pessoa de Deus e sobre os feitos divinos, recobrou ânimo e pôs-se a cantar. É a verdade acerca de Deus e dos Seus gloriosos feitos que nos oxigena a alma e nos fortalece para a caminhada. Quando os recursos da terra acabam, os celeiros do céu continuam abarrotados. Quando a força do braço humano entra em colapso, o braço onipotente de Deus sai em defesa do Seu povo. A fé em Deus não é fuga dos problemas, mas a única maneira sensata de enfrentá-los vitoriosamente.

Em terceiro lugar, *quando a crise nos encurrala, precisamos olhar para o alto.* Quando Habacuque subiu à torre de vigia, ele ouviu Deus e falou com Deus. A Palavra de Deus lhe trouxe consolo e direção, e a oração lhe encheu a alma de esperança e alegria. Diante da tragédia, se olharmos para baixo, ficaremos desolados. Se olharmos ao redor, para avaliarmos as circunstâncias, ficaremos estarrecidos. Contudo, se olharmos para o alto, encontraremos vitória.

O texto de Habacuque 3.1-19 pode ser sintetizado por três verdades essenciais: O profeta glorifica a Deus por Sua pessoa (3.1-4), por Seus atos na criação (3.5-15) e pela Sua sustentação na adversidade (3.16-19).[211] Warren Wiersbe, por sua vez, diz que podemos resumir este capítulo observando que Habacuque intercedeu pela obra de Deus (3.1,2), meditou sobre os caminhos de Deus (3.3-15) e afirmou a vontade de Deus (3.16-19).[212]

O texto em apreço, Habacuque 3.1-19, nos enseja quatro grandes lições, que passamos a considerar:

### A Palavra e a oração nos colocam no caminho da restauração (3.1,2)

A Palavra de Deus e a oração são os dois grandes instrumentos que nos levam à vitória. Ouvir Deus por meio da Palavra e falar com Deus por meio da oração são a receita para uma vida vitoriosa. Destacamos três importantes verdades:

a) Ouvir a Palavra de Deus é a única maneira de enfrentarmos vitoriosamente a crise (3.2). O profeta Habacuque ouviu Deus falando que disciplinaria Judá pelas mãos dos caldeus, e isso encheu o seu coração de espanto. Entretanto, agora, Deus fala ao profeta que vai julgar a Babilônia e derramar sobre os pecadores impenitentes cinco "ais" de juízo. A opulenta e megalomaníaca Babilônia seria banida do mapa, e suas glórias seriam apenas peças decorativas dos museus.

O profeta escuta sobre a disciplina de Judá e acerca do juízo sobre a Babilônia, e isso o deixa alarmado. A Palavra de Deus trouxe impacto ao coração de Habacuque. Ele ficou alarmado ao perceber que o Deus santo e soberano não deixaria de julgar o pecado, seja na vida do seu povo, seja na vida daqueles que se prostram diante dos ídolos. A revelação de Deus transformou o Habacuque questionador no Habacuque adorador. Tirou-o do vale do medo para a montanha da fé.

Isaltino Gomes Coelho Filho afirma que o fato de Habacuque ter ouvido a Palavra de Deus lhe trouxe segurança. O mesmo escritor recomenda: É por essa razão que precisamos ouvir a Palavra divina, quer por meio do estudo pessoal das Escrituras, quer por meio da nossa participação nos cultos, ouvindo mensagens bíblicas. A Palavra de Deus, quando ouvida com sinceridade, produz em nós uma visão muito mais clara de quem é Deus e de como Ele age, além de nos proporcionar segurança.[213]

b) Ouvir a Palavra de Deus deve nos levar à oração fervorosa (3.2). Palavra e oração precisam andar de mãos dadas. Não podemos separar aquilo que Deus uniu. Habacuque ouve e Habacuque ora. A Palavra de Deus produz em nós dependência de Deus. A voz de Deus nos põe de joelhos. Os apóstolos entenderam que precisavam dar primazia à oração e ao ministério da Palavra (At 6.4). Ao longo da História, a Igreja triunfou quando deu primazia à Palavra e prioridade à oração. De outro lado, sempre que a Igreja abandonou a trincheira da fidelidade à Palavra e o zelo pela oração fervorosa, ela se desviou e se perdeu.

c) A oração que honra ao Senhor deve caminhar da humilhação do homem para a exaltação de Deus (3.2). O profeta começou a orar ao Senhor, e não discutir com o Senhor, e sua oração logo se transformou em louvor e adoração.[214] O profeta Habacuque nesta oração usa três elementos indispensáveis, como que numa caminhada progressiva da humilhação humana à exaltação de Deus.

– a humilhação (3.2). Habacuque não ousa mais questionar Deus acerca do Seu silêncio, da Sua inação e dos Seus métodos. Ele nem mesmo pede a Deus a suspensão da disciplina de Judá. Ele está tão extasiado com a glória de Deus que pode apenas se curvar diante do Senhor para adorá-Lo.

A revelação de Deus nos leva ao pó da humilhação. Quando Moisés contemplou o Senhor na sarça ardente, ele tremeu de medo. Quando Isaías viu o Senhor assentado num alto e sublime trono, disse: "Ai de mim, estou perdido". Quando João viu o Cristo ressurreto na ilha de Patmos, caiu aos Seus pés como morto. Ninguém pode ver o Senhor na Sua glória e permanecer o mesmo. Quem conhece a Deus e ouve com temor Sua Palavra, jamais será leviano ou inconseqüente.[215] Martyn Lloyd-Jones, comentando este texto, diz que agora Habacuque está interessado na glória de Deus e em nada mais. A distinção entre os israelitas e os caldeus tornou-se relativamente sem importância quando as coisas foram vistas assim. Já não era possível ser exaltado, quer como indivíduo, quer como nação. O que importava para ele, agora, era a santidade de Deus.[216]

– a adoração (3.2). Habacuque ficou alarmado não com as dolorosas circunstâncias que estavam ao seu redor, mas com a grandeza da revelação divina que acabara de ouvir. Deus havia dito algo a ele acerca do Seu plano histórico e de como Ele estava no Seu templo cósmico governando as nações, e isso deixou o profeta extasiado. Martyn Lloyd-Jones diz que devemos aprender a ver Deus em Seu santo templo acima do fluxo da História e acima das cenas cambiantes do tempo. Na presença divina, a única coisa que se destaca é a natureza santa de Deus e o nosso próprio pecado. Humilhemo-nos com reverência e O adoremos.[217]

– a petição (3.2). A petição de Habacuque não é por livramento. Ele tira seu foco do homem e o coloca em Deus. Ele não pensa mais nos méritos da sua nação. Não pede livramento do sofrimento. Não alça ao céu a sua voz para pedir que os caldeus deixem de invadir Jerusalém e saquear o seu templo. Habacuque não ora para que Deus mude o Seu plano. O peso do profeta agora era uma preocupação pela causa de Deus, pela obra de Deus e pelo propósito de Deus em sua própria nação e no mundo inteiro. Seu grande apelo era que Deus avivasse sua obra no decorrer dos anos.[218]

## O clamor pelo avivamento nos leva de volta ao favor do Senhor (3.1,2)

Avivamento é um dos temas mais falados e mais distorcidos na igreja evangélica da atualidade. Muitos confundem avivamento com dons espirituais, com estilo litúrgico ou com a presença de sinais e milagres. Outros pensam que o avivamento pode ser administrado pela igreja e que ela pode determinar o tempo da sua chegada. Há aqueles que confundem entusiasmo humano com o mover do Espírito e grandes multidões com abundantes conversões.

O avivamento verdadeiro vem do céu. É de Deus. É obra soberana do Espírito Santo. O avivamento sempre está centrado na Palavra de Deus. Onde prospera a heresia, não existe avivamento, pois o Espírito não honra aqueles que desonram a verdade. O avivamento sempre leva a igreja à oração, à santidade e ao trabalho. Vamos destacar alguns pontos desse clamor de Habacuque:

a) O tempo em que a igreja deve buscar o avivamento (3.2). Habacuque pede que Deus avive sua obra no decorrer dos anos. Ele não pensa apenas nele e na sua geração. Sua preocupação é com a manifestação da glória de Deus ao longo da História. O avivamento está focado em Deus, e não no homem; na glória de Deus, e não nos direitos do homem; na salvação dos povos, e não na prosperidade deles.

O avivamento deve ser o anseio da igreja em todos os tempos, em todos os lugares. As vitórias do passado não são suficientes para a igreja avançar hoje. Os derramamentos do Espírito no passado não são suficientes para encher a igreja do Espírito Santo hoje. Devemos orar pelo avivamento sempre. Devemos nos preparar para o avivamento sempre. Devemos desejar ansiosamente por ele sempre. Nossa oração deve ser a mesma de Habacuque: "Aviva a tua obra no decorrer dos anos".

b) A base em que a igreja deve buscar o avivamento (3.2). Habacuque pede o avivamento a Deus não confiante na justiça própria ou confiado nos merecimentos do povo de Judá. Ao contrário, ele diz: "[...] na tua ira, lembra-te da misericórdia" (3.2). Habacuque sabe que Deus é santo e justo. Ele sabe que o pecado provoca a ira de Deus. Sabe que o pecado merece o juízo divino. Contudo, ao mesmo tempo, ele reconhece que Deus é misericordioso e capaz de amar infinitamente os objetos da sua ira. Por isso, pede clemência, e não justiça. Ele sabe que é das entranhas da misericórdia divina que fluem os rios caudalosos do avivamento.

O avivamento vem quando Deus se volta da Sua ira para a misericórdia. O avivamento acontece quando Deus volta Sua face para o Seu povo em favor misericordioso. O avivamento não é merecimento da igreja; é favor de Deus.

c) O autor do avivamento que a igreja deve buscar (3.2). O avivamento é obra de Deus, e não do homem. Ele não é promovido pela igreja; é concedido pelo Espírito Santo. A igreja não agenda avivamento; ela pode apenas buscá-lo. A igreja não produz o vento do Espírito; ela pode apenas içar suas velas na sua direção. A igreja não é dona da agenda do Espírito Santo. Este sopra onde quer, como quer, e ninguém pode detê-lo ou administrá-lo. O avivamento é obra soberana de Deus. Só o Senhor pode fender os céus e derramar o Seu Espírito. Habacuque não marca a data do avivamento; ele, humilde, o pede a Deus.

d) A urgente necessidade que a igreja tem do avivamento (3.2). O profeta Habacuque pede avivamento, e não ausência de sofrimento. Pede a manifestação poderosa de Deus no meio do seu povo, e não prosperidade econômica e política para o seu povo. Ele quer Deus, mais do que as bênçãos de Deus. O avivamento é a expressa vontade de Deus e a vital necessidade da igreja. Destacamos quatro pontos importantes sobre o avivamento:

– a necessidade imperativa do avivamento. Vivemos hoje a crise das polarizações. Há igrejas que têm doutrina, mas não crescem; há igrejas que crescem, mas não têm doutrina nem ética. Há aqueles que são ortodoxos na doutrina, mas são liberais na ética. São ortodoxos de cabeça e hereges de conduta. Uns têm caráter, mas não têm carisma; outros têm carisma, mas não têm caráter. Os que sabem não fazem; os que fazem não sabem. Vivemos hoje a polarização entre a aridez espiritual e o emocionalismo. Há aqueles que pensam que, se uma pessoa não chora no culto, ela é seca; outros pensam que os que choram são vazios. Estou certo de que uma mente invadida pela verdade produz um coração quebrantado e olhos molhados. A vinha de Deus está murcha, e a figueira está sem frutos. Por isso, precisamos clamar por um avivamento espiritual.

– a confusão sobre o avivamento. Muitos confundem avivamento com cacoetes pentecostais, com modismos heterodoxos, com danças litúrgicas, com coreografias pirotécnicas, com cultos encharcados de emocionalismo e propagandas de milagres. Outros confundem avivamento com ajuntamento. Nem sempre uma multidão reunida é sinal de avivamento. O avivamento não é fabricado na terra, mas agendado no céu. A igreja não produz as chuvas do Espírito; ela pode apenas dobrar os joelhos e clamar para que elas venham regar a terra. O avivamento é obra do Espírito Santo, que traz restauração para a igreja, salvação para o mundo e glória para Deus.

– o conteúdo do avivamento. O avivamento é concebido no útero do quebrantamento e nasce com o choro do arrependimento. O avivamento é marcado por oração abundante. Assim como a chuva cai sobre a terra seca, as torrentes do Espírito vêm apenas sobre os sedentos (Is 44.3). Não há derramamento do Espírito sem que a igreja tenha sede de Deus. Hoje, a igreja está substituindo o Deus das bênçãos pelas bênçãos de Deus. A igreja quer a dádiva, mais do que o Doador; quer a bênção, mais do que o Abençoador; quer as riquezas do mundo, mais do que as riquezas do céu. Essa atitude está na contramão do verdadeiro avivamento. O verdadeiro avivamento também traz revestimento de poder para uma igreja que está impotente. Hoje, a igreja tem ricos templos, mas não a glória de Deus em seus santuários. Tem crentes influentes na sociedade, mas não pessoas influentes no céu. Tem influência política, mas não poder espiritual. Tem poder econômico, mas não autoridade espiritual.

– o resultado do avivamento. Quando o avivamento chega, a igreja se torna ousada para pregar a Palavra. Cada crente se torna um embaixador, um ministro da reconciliação. Quando o avivamento vem, a igreja cresce em graça, em conhecimento e em número. Nunca a igreja avançou com tanta pujança como quando Deus visitou o Seu povo com generosos derramamentos do Seu Espírito! No século 18, o avivamento na Inglaterra tirou a igreja das cinzas do desânimo para um estupendo crescimento numérico. Multidões se acotovelavam nas praças para ouvir os servos de Deus. Nos Estados Unidos, cerca de dois milhões de pessoas converteram-se a Cristo no avivamento que varreu esse país nos idos de 1857 a 1859. No avivamento do País de Gales, em 1904, em apenas seis meses, cerca de cem mil pessoas converteram-se ao evangelho e foram agregadas às igrejas. Na Coréia do Sul, ainda hoje os ventos do avivamento enchem igrejas com dezenas de milhares de membros comprometidos com a santidade e com o trabalho. Sempre que o avivamento vem, a igreja se fortalece, e multidões são atraídas e transformadas pelo evangelho.

## A visão dos gloriosos feitos de Deus no passado ajuda-nos a enfrentar o presente (3.3-15)

O profeta Habacuque busca no passado as raízes para firmar sua confiança no presente. Ele faz uma viagem na história da redenção para buscar forças a fim de enfrentar as crises políticas que encurralam o seu país. Isaltino Gomes Coelho Filho diz que a História é o palco da revelação de Deus.[219] Por isso, Jerónimo Pott diz que, ao lermos essa parte do hino, podemos fazer um esboço da história de Israel, desde o Egito até Canaã, porque várias frases nos recordam as maravilhosas obras de Deus a favor do Seu povo.

Habacuque quer dizer neste cântico que Deus é ainda o mesmo. Com seu canto, o profeta quer animar e consolar os fiéis de Judá. Os crentes devem esperar e confiar no Senhor. Tendo realizado o Senhor a redenção de Israel nos dias de Moisés e dos Juízes, voltará a fazê-lo na crise atual.[220]

Warren Wiersbe, comentando sobre a importância de ter uma correta compreensão da grandeza de Deus, afirma:

> Não há substitutos para uma teologia correta – nem sermões nem cânticos. A superficialidade dos sermões, livros e cânticos da atualidade pode ser o principal fator a contribuir para o enfraquecimento da igreja e para o crescimento do "entretenimento religioso" em encontros nos quais deveríamos estar louvando a Deus. O que elevou Habacuque até o alto do monte foi sua compreensão da grandeza de Deus. Precisamos voltar ao tipo de adoração que se concentre na glória de Deus e buscar honrar somente o Senhor.[221]

Destacamos alguns pontos importantes nessa viagem do profeta para descobrir a grandeza de Deus e das Suas obras.

a) A glória de Deus manifestada (3.3-5). Habacuque, em forma de canto, narra os gloriosos feitos de Deus na história de Israel. Consideremo-los a seguir:

– o esplendor da Sua glória no deserto (3.3). Charles Feinberg diz que o fundo histórico aqui é a lembrança dos acontecimentos do Êxodo ao Sinai.[222] Temã e o monte Pará estão localizados entre o Sinai e Edom. Dionísio Pape diz que Temã era Edom, a leste do Jordão, e Pará se situava na região montanhosa ao longo do golfo de Ácaba, entre o monte Sinai e Edom. Os dois lugares recordavam intervenções do Senhor, na época da caminhada do povo de Israel, desde o deserto até Canaã.[223] Foi nessa região que Deus apareceu a Moisés. Foi nesse espaço geográfico que a glória de Deus fez tremer o monte. Foi ali que Deus manifestou-se de maneira salvadora e expediu o decreto para a libertação de Israel do terrível cativeiro egípcio. Dessa maneira, Habacuque deseja caracterizar bem Iavé como o libertador do Seu povo. Quem se levanta para julgar é o Libertador de Israel, diz Isaltino Gomes Coelho Filho.[224]

– a glória da Sua santidade (3.3). O Deus que refulge em glória é o Santo. Ele não se deleita no mal. Não tolera o mal. Julga o mal. Vem tanto para o julgamento do ímpio quanto para a disciplina e a restauração do Seu povo. Quando Deus se manifesta, Sua glória enche os céus, e o Seu louvor enche a terra.

- a glória da Sua refulgente luz (3.4). A manifestação de Deus é cheia de luz. Deus é luz. Sua presença é mais refulgente que todos os astros reunidos. O brilho dos astros é apenas um pálido reflexo desse Ser supremo que é luz e habita em luz inacessível.

- a glória em julgamento (3.5). O Deus santo cuja presença refulge como luz é aquele que julga a impenitência dos homens. Ele enviou Seu juízo à terra do Egito e quebrou a espinha dorsal dos seus deuses, por meio de dez pragas. Cada praga desbancava do panteão egípcio uma divindade.

b) O poder de Deus demonstrado (3.6,7). Dois pontos são destacados pelo profeta Habacuque:

- o poder que faz estremecer a natureza (3.6). Quando Deus se manifesta, até a terra treme. Quando Ele se revela, os montes se derretem. Quando Sua mão se estende, até o mar cessa o seu bramido. A natureza escuta a voz de Deus e lhe obedece. Quando ele fala, até o sol esconde o seu rosto.

- o poder que faz sacudir as nações (6b,7). Quando Deus se manifesta, as nações são dispersas, a oposição é subjugada e os inimigos ficam terrificados. Deus levanta reinos e abate reinos. Ele suscita reis e destrona reis. As nações poderosas são para Ele como um pingo que cai de um balde ou como um pó numa balança de precisão. A soberba da Babilônia que adorava o seu próprio poder era uma insanidade. A confiança no braço da carne é uma loucura. A inexpugnável Babilônia seria em breve sacudida, como haviam sido também sacudidos a Assíria e o Egito. Afinal, somente o Reino de Deus ficará em pé, sem ser jamais abalado.

c) As carruagens da salvação saem em cavalgada (3.8-11). Habacuque olha para Deus como o condutor de uma carruagem celestial que sai numa cavalgada vitoriosa. Nessa corrida triunfante de Deus, o mar se abre, a terra é fendida, os montes se contorcem, as profundezas do mar escutam o estampido de Sua passagem, e o sol e a lua param o seu cortejo. O Universo inteiro dá passagem a esse guerreiro vitorioso que sai montado em Suas carruagens de vitória. Nessa passagem luminosa e triunfante de Deus, a terra é convulsionada, e os céus são eclipsados pelo Seu esplendor.

d) A marcha triunfante de Deus pelos caminhos da História (3.12-15). Nos versículos 8 a 11, o cenário era a natureza; agora, nos versículos 12 a 15, o cenário é a História. O profeta Habacuque começa, então, a analisar o propósito desse guerreiro que vem montado em suas carruagens de vitória.

- Ele vem para libertar o Seu povo (3.13a). Leslie Ellen diz: "O Deus de Israel revelou-se a si mesmo como um guerreiro, armado com as forças da natureza para salvar o seu povo".[225] O remanescente fiel de Judá seria salvo. A nação de Judá não seria destruída. A Igreja de Deus é indestrutível. Nenhuma força na terra pode acabar com a Igreja de Cristo. O Senhor é o seu defensor. Quando o povo de Deus peca e viola a aliança, Deus o disciplina e o restaura. O mesmo que faz a ferida, também opera a cura.

- Ele vem para trazer juízo sobre os ímpios (3.12-15). Esse guerreiro celestial está irado. O cálice da sua ira está cheio, e Ele sai para pisar as nações na Sua indignação. Ao mesmo tempo em que Ele vem para o salvamento do Seu povo, vem para ferir o telhado do perverso e descobrir seus fundamentos. Ele vem para destruir aqueles que destruíram o Seu povo. Deus entrega os ímpios à sua própria sorte, e eles perecem pelas suas próprias armas.

– Ele vem para demonstrar o Seu poder (3.15). A carruagem de Deus marcha sobre o mar e caminha pela massa de grandes águas. Ele faz o impossível. Ele pode o impossível. O mar se torna terra seca debaixo dos Seus pés. Nenhum elemento da natureza, nenhum poder político, econômico ou militar de qualquer império ou nação pode ameaçar o Seu poder ou colocar em risco a Sua marcha vitoriosa pelas veredas da História.

## A canção de triunfo no meio da dor é um testemunho vibrante da nossa fé (3.16-19)

O hino foi concluído com a mais absoluta afirmação de fé. O profeta confiava cabalmente na soberania do Senhor, a ponto de aceitar quaisquer circunstâncias como sendo dentro da boa e perfeita vontade de Deus para ele.[226]

Isaltino Gomes Coelho Filho diz que o ato de crer é viável. A fé não é absurda. Ela envolve o sobrenatural, mas isso não a torna absurda. A fé não é um salto no escuro como querem os existencialistas. A fé é uma caminhada segura sob a luz. Se o homem tem perguntas, Deus tem as respostas. A certeza de ontem dá tranqüilidade para o hoje e projeta esperança para o amanhã.[227]

Warren Wiersbe diz que, se Habacuque tivesse dependido de seus sentimentos, jamais teria escrito essa magnífica confissão de fé. Ao olhar para o futuro, Habacuque viu a nação rumando para a destruição. Ao olhar para dentro de si, viu-se tremendo de medo, e, ao olhar ao seu redor, viu todo o sistema prestes a se desintegrar. Contudo, quando, pela fé, ele olhou para o alto, viu Deus, e todos os seus medos desvanecerem. Andar pela fé significa concentrar-se na grandeza e na glória de Deus, e não na fraqueza humana.[228]

O profeta Habacuque nos conduz a quatro verdades sublimes:

a) Uma manifestação gloriosa (3.16). Quando o profeta ouve o relato dos feitos de Deus e tem uma visão da glória de Deus, ele fica não só alarmado, mas também pálido, trêmulo e sem nenhum vigor. Ninguém pode contemplar a Deus sem ficar aterrado. Ninguém pode estar na presença de Deus sem ser impactado. Daniel desmaiou[229] quando viu o Senhor na Sua glória. O apóstolo Paulo caiu cego quando viu o Filho de Deus aparecer em glória para ele no caminho de Damasco. O apóstolo João caiu aos Seus pés como morto na ilha de Patmos. Habacuque ficou com os joelhos trôpegos e com os lábios trêmulos.

b) Uma confiança inabalável (3.17,18). O povo de Judá dependia da agricultura para sobreviver. Os recursos financeiros vinham das lavouras e dos rebanhos. David Baker diz que a maior parte do sustento do profeta provinha de figos, uvas, azeitonas e outros produtos da lavoura, bem como da criação de ovelhas, cabras e gado. Embora essas fontes possam de alguma forma esgotar-se, o salmista vê que, em última instância, sua própria existência não depende delas, mas da Fonte delas, Iavé. Mas o profeta diz: "Ainda que a figueira não floresça, nem haja fruto na vide; o produto da oliveira minta, e os campos não produzam mantimento; as ovelhas sejam arrebatadas do aprisco, e nos currais não haja gado, todavia, eu me alegro no SENHOR, exulto no Deus da minha salvação" (3.17,18). A confiança do profeta não estava na provisão, mas no Provedor. Os recursos da terra podem falhar, mas Deus jamais falhará.

Como Jó, Habacuque estava pronto a perder tudo, menos a sua fé no Senhor. Habacuque fala alto à nossa sociedade de consumo, com os seus exagerados valores materiais e o seu desprezo aos valores espirituais. A posse de bens materiais não é necessariamente sinal de bênção e da vontade divinas! A fé em Cristo não garante, de maneira nenhuma, a entrada na vida opulenta e luxuosa, diz Dionísio Pape.[230]

c) Uma alegria ultracircunstancial (3.18). A alegria do profeta não é determinada pela presença de coisas boas nem pela ausência de coisas trágicas. Sua alegria está centrada na pessoa de Deus. Sua alegria não está na prosperidade nem na ausência do sofrimento. Sua alegria está em Deus. Sua alegria é ultracircunstancial. A. R. Crabtree diz que, através dos séculos, muitos homens de Deus, em períodos de perseguição e sofrimento, acharam conforto e profunda alegria espiritual nas últimas palavras deste cântico de vitória sobre o poder do mal.[231]

d) Um sustentáculo suficiente (3.19). A alegria do profeta não é um sentimento romântico e infundado. Ele tem razões sobejas para alegrar-se. O fundamento da sua alegria está em Deus. Habacuque, que começa deprimido e em dúvida quanto à retidão e à justiça de Deus, termina com alegre confiança na provisão e no poder sustentador de Deus.[232] Charles Feinberg, nessa mesma linha de pensamento, escreve:

> Observemos que contraste existe entre a conclusão desta profecia e a perplexidade que esmagava o profeta no princípio do livro. Em Deus ele encontra a resposta todo suficiente a todos os seus problemas. Ele confiará em Deus, embora falhem todas as bênçãos. Que advertência para os tempos em que vivemos![233]

O próprio Deus oferece ao profeta duas coisas essenciais:

- estabilidade e segurança. Deus é a sua fortaleza. Ele é o seu alto refúgio. Ele é a sua torre de livramento. Nenhum perigo pode nos alcançar quando estamos refugiados em Deus. Ninguém pode nos arrancar dos braços de Jesus. Nenhuma pessoa ou circunstância pode nos afastar do amor de Deus que está em Cristo Jesus.

- celeridade e firmeza. O Senhor não apenas aprumou seus joelhos trôpegos, mas lhe deu a celeridade da corça. A corça podia percorrer, com pés ligeiros, a escura floresta. O animal de patas ligeiras pode subir aos mais elevados picos para percorrer os cumes dos montes. A corça tornase, assim, o símbolo da força, da firmeza dos passos, da beleza e da alegria de viver.[234] De igual forma, o Senhor não apenas tirou o profeta do vale da angústia, mas, também, o fez andar altaneiramente. Habacuque fez uma viagem do temor à fé, do pranto ao cântico de louvor, do questionamento amargo à humilde adoração. Warren Wiersbe, nessa mesma linha de pensamento, diz que Deus nos criou para as alturas. Se Ele nos permite passar pelos vales, é para que possamos esperar nEle e subir com asas como águias (Is 40.31).[235]

Ao término da exposição do livro de Habacuque, precisamos concordar com John Stott, que disse: "Crer é também pensar". A fé sublime emerge das entranhas da dúvida e se ancora em Deus, a Rocha que não se abala.

Isaltino Gomes Coelho Filho diz que podemos sintetizar a mensagem deste livro, pontuando as seguintes lições:[236]

1) Uma lição estarrecedora: Deus julga o Seu próprio povo. Deus é santo e justo e Ele não faz vistas grossas

ao pecado no meio do Seu povo. Ele começa seu juízo exatamente pela Sua casa (1Pe 4.17).

2) Uma lição gloriosa: A História tem um rumo. A História não é cíclica nem caminha para o caos. A História é linear e marcha para uma consumação gloriosa da vitória retumbante de Deus e do Seu povo.

3) Uma lição moral: Os violentos serão punidos. Aqueles que semeiam a violência serão ceifados por ela. Aqueles que plantam a maldade se fartarão de seus frutos malditos. Aqueles que ferem à espada, pela espada cairão. Aqueles que oprimem o pobre com ganância desmesurada, serão oprimidos. A Babilônia truculenta que esmagou Judá foi entregue nas mãos do Império Medo-persa e pereceu pelas mesmas armas que oprimiu as nações.

4) Uma lição espiritual: O justo viverá pela fé. Ainda que o mundo ao nosso redor se transtorne; ainda que os ímpios se levantem com fúria virulenta contra nós; ainda que nos faltem os recursos materiais para uma sobrevivência digna, nossa confiança permanece inabalável em Deus. É pela fé que vivemos, vencemos e triunfamos.

5) Uma lição final: Alegria de crer. O profeta Habacuque termina o seu livro exclamando com todas as forças da sua alma: "Eu me alegro no SENHOR, exulto no Deus da minha salvação" (v.18). Crer é um ato de júbilo. A fé nos toma pela mão e nos carrega pelos corredores da dúvida e da angústia e nos leva à sala do Trono, de onde o Soberano Senhor governa todas as coisas! Deus ainda pode nos dar cânticos na escuridão (Jó 35.10) se confiarmos nEle e virmos Sua grandeza!

NOTAS CAPÍTULO 7

[205] MEARS, Henrietta C. *Estudo panorâmico da Bíblia.* 1982: p. 284.

[206] COELHO FILHO, Isaltino Gomes. *Habacuque: nosso contemporâneo.* 1990: p. 69.

[207] PAPE, Dionísio. *Justiça e esperança para hoje.* 1983: p. 91.

[208] CRABTREE, A. R. *Profetas menores.* 1971: p. 258.

[209] POTT, Jerónimo. *El mensaje de los profetas menores.* TELL. Grand Rapids, Michigan. 1977: p. 72.

[210] POTT, Jerónimo. *El mensaje de los profetas menores.* 1977: p. 72.

[211] BAKER, David W. et all. *Obadias, Jonas, Miquéias, Naum, Habacuque e Sofonias.* 2006: p. 350.

[212] WIERSBE, Warren W. *Comentário bíblico expositivo.* Vol. 4. 2006: p. 519.

[213] COELHO FILHO, Isaltino Gomes. *Habacuque: nosso contemporâneo.* 1990: p. 69.

[214] WIERSBE, Warren W. *Comentário bíblico expositivo.* Vol. 4. 2006: p. 519.

[215] COELHO FILHO, Isaltino Gomes. *Habacuque: nosso contemporâneo.* 1990: p. 70.

[216] LLOYD-JONES, D. Martyn. *Do temor à fé.* 1985: p. 68.

[217] LLOYD-JONES, D. Martyn. *Do temor à fé.* 1985: p. 72.

[218] LLOYD-JONES, D. Martyn. Do *temor à fé.* 1985: p. 72,73.

[219] COELHO FILHO, Isaltino Gomes. *Habacuque: nosso contemporâneo.* 1990: p. 74.

[220] POTT, Jerónimo. *El mensaje de los profetas menores.* 1977: p. 73.

[221] WIERSBE, Warren W. *Comentário bíblico expositivo.* Vol. 4. 2006: p. 522.

[222] FEINBERG, Charles L. *Os profetas menores.* 1988: p. 219.

[223] PAPE, Dionísio. *Justiça e esperança para hoje.* 1983: p. 91.

[224] COELHO FILHO, Isaltino Gomes. *Habacuque: nosso contemporâneo.* 1990: p. 74.

[225] ELLEN, Leslie. *Bible study commentary – Hoseas to Malachi.* Scripture Union. 1987: p. 89.

[226] PAPE, Dionísio. *Justiça e esperança para hoje.* 1983: p. 92.

[227] COELHO FILHO, Isaltino Gomes. *Habacuque: nosso contemporâneo.* 1990: p. 83,85.

[228] Wiersbe, Warren W. *Comentário bíblico expositivo*. Vol. 4. 2006: p. 522,523.

[229] Baker, David W. et all. *Obadias, Jonas, Miquéias, Naum, Habacuque e Sofonias*. 2006: p. 360,361.

[230] Pape, Dionísio. *Justiça e esperança para hoje*. 1983: p. 93.

[231] Crabtree, A. R. *Profetas menores*. 1971: p. 266.

[232] Baker, David W. et all. *Obadias, Jonas, Miquéias, Naum, Habacuque e Sofonias*. 2006: p. 361.

[233] Feinberg, Charles L. *Os profetas menores*. 1988: p. 223.

[234] Champlin, Russell Norman. *O Antigo Testamento interpretado versículo por versículo*. Vol. 5. 2003: p. 3.624.

[235] Wiersbe, Warren W. *Comentário bíblico expositivo*. Vol. 4. 2006: p. 523.

[236] Coelho Filho, Isaltino Gomes. *Habacuque: nosso contemporâneo*. 1990: p. 89-92.

Sua opinião é importante para nós. Por gentileza, envie seus comentários pelo e-mail editorial@hagnos.com.br

Visite nosso site: www.hagnos.com.br

Esta obra foi impressa na
Imprensa da Fé.
São Paulo, Brasil.
Verão de 2021.